D1261111

MARC EIGELDINGER

JEAN-JACQUES ROUSSEAU

ET LA RÉALITÉ DE L'IMAGINAIRE

A LA BACONNIÈRE, NEUCHATEL

JEAN-JACQUES ROUSSEAU
et la réalité de l'imaginaire

DU MÊME AUTEUR

Poésie

Le Pèlerinage du silence (1941), épuisé.
Le Tombeau d'Icare, 2e édition, La Baconnière (1948).
Prémices de la Parole, Caractères (1953).
Terres vêtues de soleil, La Baconnière (1957).
Mémoire de l'Atlantide, La Baconnière (1961).

Critique

Le Dynamisme de l'image dans la poésie française, La Baconnière, (1943), épuisé.
Poésie et tendances, La Baconnière (1945), épuisé.
Julien Green et la tentation de l'irréel, Les Portes de France (1947), épuisé.
Le Platonisme de Baudelaire, La Baconnière (1951).
La Philosophie de l'art chez Balzac, Pierre Cailler (1957).

Buste de J.-J. Rousseau a l'ile de Saint-Pierre
par Houdon

MARC EIGELDINGER

JEAN-JACQUES ROUSSEAU
et la réalité de l'imaginaire

LANGAGES

A LA BACONNIÈRE - NEUCHATEL

PUBLIÉ AVEC L'APPUI DU
FONDS NATIONAL DE LA RECHERCHE SCIENTIFIQUE

Tirage total: 2000 exemplaires

Argument

Une longue méditation sur l'œuvre de Jean-Jacques Rousseau m'a incité à écrire un livre qui exprimât en même temps mon enthousiasme primitif et mon attachement constant. Mais encore fallait-il que la pensée se cristallisât autour d'un thème ou d'un centre qui en préservât l'unité. Ce thème, je crois l'avoir découvert dans la certitude intuitive qu'avait Rousseau de la réalité du monde imaginaire. Il ne rend pas compte des divers aspects du génie de Jean-Jacques — les *Discours* et le *Contrat social*, la *Lettre à d'Alembert* et la *Lettre à Christophe de Beaumont* n'ont pas dans cette perspective une importance égale à *La Nouvelle Héloïse* ou à l'*Emile*, les écrits sur la musique s'effacent relativement au profit des œuvres autobiographiques et de la correspondance — mais il constitue pourtant l'un des noyaux de l'œuvre, l'une des inventions les plus fertiles de l'histoire littéraire. Rousseau est un des premiers écrivains français — probablement le premier avec une telle conviction — à éprouver que la réalité de l'imaginaire l'emporte sur la réalité du monde et que la vie spirituelle de l'imagination est plus féconde que l'existence quotidienne, limitée par les contingences matérielles.

Certes Chrétien de Troyes a exprimé les éléments de l'imagination celtique, Rabelais a inventé un univers et un langage à mi-chemin du réel et du fabuleux, Agrippa d'Aubigné a cédé plus que tout autre poète de son époque à la violence de son imagination concrète et visionnaire, mais il ne semble pas, dans la mesure où l'on en puisse clairement juger, qu'ils aient cru à la prédominance de l'imaginaire sur le réel. Le XVIIe siècle, à part quelques écrivains baroques tels que Théophile de Viau et Cyrano de Bergerac, s'est montré singulièrement méfiant à l'égard de l'imagination, souvent même hostile aux puissances obscures et irrationnelles qu'elle suscite. C'est avec le XVIIIe siècle que les écrivains commencent à lui prêter plus d'autorité. Les romanciers, quelques moralistes et philosophes — Vauvenargues, La Mettrie, Condillac — ont peu à peu libéré l'imagination des entraves de la raison et lui ont partiellement restitué ses droits. Toutefois Diderot fut l'un des premiers grands imaginatifs par la nature de son tempérament enthousiaste et passionné. Il ne s'est pas contenté de définir les caractères prédominants de l'imagination, il en a vécu les emportements et a cherché à les communiquer à ses lecteurs. Mais purement impulsif, parfois léger et souvent versatile, il n'a pas approfondi l'expérience de l'imaginaire ; il ne s'est pas aventuré aux frontières du possible.

Tout en demeurant conscient des dangers de l'imagination, de son ambiguïté naturelle, Rousseau se confie à ses pouvoirs plus totalement que Diderot. Si l'imagination engendre certains écarts, troubles ou délires par son besoin fatal d'expansion, elle est tout de même la *faculté consolatrice*, capable de compenser les imperfections du monde, les insuffisances de la société et des hommes. Elle demeure le principe de toute indépendance à l'égard du réel, elle soutient la rêverie, invente de délicieuses chimères, de charmantes fictions, plus mystérieuses et fascinantes que n'importe quel objet sensible. Elle est un des instruments nécessaires de la passion amoureuse à laquelle elle inspire le désir de la beauté, l'exigence de l'absolu et de l'éternité. L'amour ne s'accomplit pas ici-bas, mais dans le *pays des chimères* habité par des êtres parfaits et célestes. C'est aussi l'imagination qui dicte à Rousseau ses « raisonnements hypothétiques et conditionnels » sur la nature primitive de l'homme et l'origine du langage. Elle lui inspire la nostalgie d'une langue gestuelle, métaphorique dont il souhaite retrouver la vigueur expressive. Elle recrée dans son esprit la vision de l'âge d'or, non celui que nous a transmis la littérature gréco-latine, mais un âge d'or insulaire que Jean-Jacques conçoit à la mesure de son cœur et à la ressemblance de ses désirs les plus personnels. Enfin l'imagination lui révèle le dogme de l'immortalité de l'âme comme une certitude qui lui fait endurer les misères de sa vie et espérer une réparation, voulue par la Providence, tant dans le royaume de l'au-delà que dans la mémoire des hommes.

Aventurier de l'imaginaire, non plus dans l'univers fabuleux d'êtres gigantesques, ni dans les « empires de la lune et du soleil », mais dans l'empyrée de ses rêves personnels, Jean-Jacques Rousseau a renouvelé le sens de la fiction poétique en la puisant aux sources de son moi et de sa vie affective. « Rousseau : je dis même que c'est sur cette branche — pour moi la première jetée à hauteur d'homme — que la poésie a pu fleurir », déclare André Breton[1]. L'imagination, chez Rousseau, n'est guère prétexte à créer un monde de fantaisie ou à développer des digressions philosophiques, elle devient une des dimensions profondes de l'existence. Il ne s'agit plus tellement de spéculer sur la nature de l'imagination, mais de vivre de la substance fluide qu'elle produit, de se soumettre au destin supérieur qu'elle conçoit. Le monde imaginaire existe en marge du monde sensible, il possède sa réalité intrinsèque, son espace propre s'accroissant du fini à l'infini. Cette ouverture fait que la trajectoire de la poésie s'étend des limites du moi jusqu'aux nappes solaires propagées par l'imagination.

CHAPITRE PREMIER

L'imagination, ce soleil de l'esprit

Ce vers isolé que Victor Hugo a noté dans les fragments de *Tas de pierres* exprime bien que l'imagination est une force psychique autonome et qu'elle témoigne de la grandeur de l'esprit humain. Elle se distingue fondamentalement de la perception et de la mémoire avec lesquelles plusieurs philosophes l'ont souvent identifiée. L'imagination ne se borne pas à reproduire les objets de la perception ou les images du souvenir, elle les dépasse et s'en affranchit, douée qu'elle est d'une liberté magique, d'une spontanéité créatrice qui lui permet de s'abstraire des contraintes du réel et des visions du passé. Elle accomplit sa fonction mentale de manière intrinsèque et indépendante, elle tire sa puissance de sa liberté essentielle, de sa nature despotique, de l'action souveraine et fascinatrice qu'elle exerce. Elle est capable d'envoûter l'être tout entier, de subjuguer les autres facultés afin de les stimuler et de les emporter. Ainsi que l'a montré Jean-Paul Sartre, l'imagination possède une vertu magique, un pouvoir de charme qui fonde son autorité et lui inspire le mépris de l'obstacle.

« L'acte d'imagination... est un acte magique. C'est une incantation destinée à faire apparaître l'objet auquel on pense, la chose qu'on désire, de façon qu'on puisse en prendre possession. Il y a, dans cet acte, toujours quelque chose d'impérieux et d'enfantin, un refus de tenir compte de la distance, des difficultés. » [1]

L'imagination utilise les données de la perception et les matériaux de la mémoire, mais elle les choisit, les transfigure et les métamorphose. Si elle demeure prisonnière de la sensation ou dépendante du souvenir, elle n'est pas absolument elle-même et correspond à ce qu'on appelle l'imagination reproductrice ou la mémoire imaginative. Il est dans la nature de l'imagination créatrice de ne pas se laisser circonscrire par les éléments de la perception et du souvenir. Elle n'imite pas la réalité perçue ou enregistrée par la mémoire, elle s'en nourrit, mais s'en détache pour inventer une autre réalité, seconde et autonome. L'imagination n'est pas assujettie au réel, elle n'a aucun souci d'exactitude, de fidélité à l'objet. La recherche de la ressemblance n'est pas son fort. Si la perception observe et saisit certains aspects de l'objet afin de le représenter comme une chose présente dans le monde, l'imagination représente cet objet comme s'il était absent ou inexistant, coupé de ses attaches avec le monde. Tandis que la perception est liée à la réalité de l'objet, l'imagination s'en éloigne, car elle est affranchie des limites que l'étendue, le temps et l'espace imposent à la perception[2]. Ce pouvoir de se soustraire aux dimensions du sensible et cette infidélité aux données de la perception définissent l'un des traits essentiels de l'imagination : sa *liberté*, ou plus exactement la liberté avec laquelle elle dispose des éléments que la réalité lui fournit. Elle opère son choix, recrée, transpose. L'imagination se distingue de la perception par ce pouvoir de liberté qui lui permet de se distancer de l'objet et de s'absenter du monde ; elle ne reproduit pas des images équivalentes de la réalité, elle crée des images qui dépassent et métamorphosent le réel. En partant de la perception du sensible, elle invente un autre univers, distinct et indépendant.

« On veut toujours que l'imagination soit la faculté de *former* des images. Or elle est plutôt la faculté de *déformer* les images fournies par la perception, elle est surtout la faculté de nous libérer des images premières, de *changer* les images. S'il n'y a pas changement d'images, union inattendue des images, il n'y a pas imagination, il n'y a pas d'*action imaginante.* »[3]

La confusion, introduite par la philosophie sensualiste du XVIIIe siècle, entre la perception et l'imagination, persiste encore à notre époque. Paul Eluard considère l'imagination comme un *sixième sens* qui procède de la correspondance des cinq autres et se superpose à eux, ainsi qu'il l'exprime dans ces vers de *Poésie ininterrompue II :*

> *Les cinq sens confondus c'est l'imagination*
> *Qui voit qui sent qui touche qui entend qui goûte.*

Certes l'imagination relie les ordres de la sensation, affermit leur unité et établit entre eux des liens de continuité comme l'atteste la doctrine baudelairienne de l'*analogie universelle*, mais elle est davantage qu'un sixième sens, puisqu'elle n'adhère pas au contenu de la perception et se détache spontanément de la réalité sensible.

Le second caractère de l'imagination, impliqué par cette liberté, c'est la *mobilité*, le pouvoir de saisir les mouvements internes et externes, d'exprimer le devenir des êtres et des choses, de la pensée et du sentiment. L'imagination est de toutes les facultés la plus dynamique, elle est l'âme du mouvement, en ce sens qu'elle le suscite et le traduit. Baudelaire l'a bien compris qui écrit lapidairement à propos de la peinture d'Ingres : « Plus d'imagination, partant plus de mouvement » [4]. Le dynamisme de l'imagination appartient plus à l'ordre spirituel que physique ou musculaire, il anime les choses de l'intérieur, établit une communication vivante entre l'homme et l'univers. L'imagination opère un passage constant de la substance du moi à la matière du monde, elle abolit la distance entre l'âme et les sens, elle s'élève de la vision de la nature à la contemplation de la surnature et à l'intuition de l'invisible. Elle s'empare des objets pour les enrichir d'un contenu affectif et d'une valeur emblématique, elle les rend fluides, transparents, jusqu'à les convertir en corps spirituels capables d'accéder à la mesure de l'infini. L'imagination se définit par un double mouvement d'expansion et d'approfondissement : d'une part elle agrandit, dilate, amplifie les éléments de la perception, d'autre part elle surprend la profondeur des choses, elle en révèle la dimension secrète et les puissances occultes. « L'imagination est profondeur. Aucune faculté de l'esprit ne s'enfonce et ne creuse plus que l'imagination ; c'est la grande plongeuse »[5]. Comme elle se meut sur le plan de la verticalité, elle peut tout aussi bien pénétrer les gouffres de la matière que s'introduire dans les espaces supérieurs. Ainsi, l'un des pouvoirs fondamentaux de l'imagination est sa faculté d'ouverture, orientée à la fois vers le bas et le haut, à travers les chemins du fini et dans la trajectoire de l'infini.

La mobilité intuitive de l'imagination varie selon la nature de l'écrivain, puisqu'elle dépend de tendances affectives et de facteurs inconscients. L'influence de l'affectivité est prépondérante sur l'imagination de telle sorte que celle-ci demeure nécessairement *subjective*, associée au tempérament, à la puissance intime du génie. Agrippa d'Aubigné est par exemple le plus grand imaginatif de son siècle, par sa puissance d'invention il dépasse Maurice Scève, Du Bellay ou Ronsard. Racine domine les écrivains du XVIIe siècle par la vigueur contenue de son imagination. Diderot et Rousseau sont doués d'une imagination plus active que Montesquieu ou Voltaire. A l'imagination indigente d'Alfred de Vigny s'oppose celle de Victor Hugo, l'une des plus fortes et des plus fécondes qui se puissent concevoir. Ou encore l'imagination de Rimbaud est plus dynamique et violente que celle de Mallarmé... Bien que l'apport des éléments affectifs soit décisif, l'imagination ne se borne pas à les reproduire tels quels, elle part de l'émotion suscitatrice, mais la dépouille et la transforme. La sensibilité, comme la mémoire et la perception, lui fournit une matière qu'elle idéalise. Si l'imagination se nourrit des substances que lui livrent l'affectivité et l'inconscient, c'est que ces substances lui servent de prétexte à exercer sa fonction compensatrice, à créer des fictions qui corrigent les imperfections du réel. Cet acte d'éloignement et de sublimation de la réalité n'en définit pas seulement l'une des démarches fondamentales, mais détermine sa puissance créatrice. Il commande l'invention des mythes, des métaphores et des symboles. L'imagination est la faculté de penser par analogie, de percevoir les similitudes, les correspondances mystérieuses qui s'établissent entre les objets de la création ou entre le moi et l'univers. Baudelaire l'affirme dans une lettre à Alphonse Toussenel (21 janvier 1856) : « L'*imagination* est la plus *scientifique* des facultés, parce que seule elle comprend *l'analogie universelle*, ou ce qu'une religion mystique appelle *la correspondance* ». Il est vrai que l'imagination déchiffre les affinités secrètes et conçoit les ressemblances spirituelles, mais est-elle « la plus scientifique des facultés » ? J'en doute. Elle ne se propose pas de traduire une vérité générale ou une réalité objective. Au contraire elle exprime la plupart du temps une croyance individuelle, une certitude personnelle, elle est subjective en ce sens qu'elle correspond au tempérament et à la vision d'un être particulier. Chaque artiste ou poète, dans la société moderne du moins, invente un monde imaginaire autonome et découvre des analogies qui ne s'imposent pas nécessairement à autrui. C'est la vigueur de son imagination qui l'engage à interpréter le sens de l'univers selon sa vision propre, distincte de celle de ses prédécesseurs. Toute fiction procède de la substance du moi et se construit à l'aide d'éléments forgés par le génie individuel. Il ne saurait en être autrement puisque l'énergie de l'imagination est soumise aux impulsions de l'affectivité.

Libre et mobile, l'imagination tend à se soustraire au courant ordinaire de l'existence et à s'affranchir de la pesanteur inerte des choses. Sollicitée par le besoin de dépasser les apparences, de franchir les bornes du réel, elle cède à l'appel de la *transcendance*. Elle ne cherche pas à saisir ou à exprimer un objet réel, elle vise un objet transcendant, irréel, détaché des catégories du temps et de l'espace. L'imagination, abusée par la réalité et incapable d'en restituer la présence, s'évade dans un autre monde, dans le monde de l'absence et de l'infini. « Tant de fois, au cours de ma vie, la réalité m'avait déçu parce que au moment où je la percevais, mon imagination qui était mon seul organe pour jouir de la beauté, ne pouvait s'appliquer à elle en vertu de la loi inévitable qui veut qu'on ne puisse imaginer que ce qui est absent», observe Marcel Proust[6]. Non seulement l'imagination envisage son objet comme absent, mais elle le situe dans un espace qui lui est propre, dans la sphère de l'irréalité coupée des contraintes du monde sensible. L'irréel est la contrée où l'imagination satisfait la plénitude de sa liberté. « L'irréel est produit hors du monde par une conscience qui *reste dans le monde* et c'est parce qu'il est transcendantalement libre que l'homme imagine »[7]. Selon Jean-Paul Sartre, l'acte de l'invention imaginative est *constituant*, *isolant* et *anéantissant*. Il est constituant en tant qu'il crée un nouvel univers, irréel et distinct de celui de la perception, isolant, parce qu'il est dissocié du réel et anéantissant, parce qu'il refuse les conditions précaires de la réalité et se fonde sur le *néant* qui est « la matière du dépassement du monde vers l'imaginaire »[8]. Le néant est l'état intermédiaire entre le réel et l'imaginaire, il immatérialise l'objet et lui communique une subtilité, une fluidité nouvelle. Il décante le réel afin de l'approprier à la métamorphose et de le rendre convertible à l'imaginaire. Le néant figure le passage de l'immanence à la transcendance, du réel à l'irréel, du fini à l'infini.

Mais comment l'imagination opère-t-elle cette conversion de l'objet ? Par l'*analyse* et la *synthèse*, répond Baudelaire dans le *Salon de 1859*, par le moyen de deux opérations complémentaires, « l'une négative et préparatoire, la dissociation ; l'autre positive et constituante, l'association », affirme Th. Ribot[9]. D'une part l'imagination déforme et décompose les éléments du réel, elle trouble et divise les données de la perception. D'autre part elle reforme et recompose, selon une cohérence nouvelle, cette matière qu'elle a dissociée, elle construit un univers second à l'aide des substances qu'elle a dépouillées. En cet univers second et idéal elle retrouve le sentiment de la totalité que le réel ne saurait satisfaire. Non seulement elle crée la nouveauté, mais elle substitue à la division de la matière une véritable unité spirituelle.

« C'est l'imagination, écrit Baudelaire, qui a enseigné à l'homme le sens moral de la couleur, du contour, du son et du parfum. Elle a créé, au commencement du monde, l'analogie et la métaphore. Elle décompose toute la création, et, avec les matériaux amassés et disposés suivant des règles dont on ne peut trouver l'origine que dans le plus profond de l'âme, elle crée un monde nouveau, elle produit la sensation du neuf. »[10]

Par cette double opération d'analyse et de synthèse, l'imagination coupe les amarres qui la relient aux éléments de la perception et de la mémoire. Elle se détache du réel et le transfigure en lui ajoutant une dimension qui le rend méconnaissable : la dimension de l'infini et du surnaturel. Cette capacité de dépasser les limites du sensible, ce pouvoir de la transcendance qui définit la nature spécifique de l'imagination correspond à ce que Jean-Paul Sartre a nommé la *fonction irréalisante* et Gaston Bachelard la *fonction de l'irréel.* L'imagination, animée par les vertus de liberté et de mobilité, est orientée vers la conquête de la transcendance. Elle part du réel pour s'élever vers l'irréel ; elle s'achemine d'abord à travers les sentiers de la nature, puis elle s'en écarte brusquement pour se hausser au niveau de la surnature. « L'imagination, dit Jacques Rivière, est le sens du surnaturel »[11]. Est-il moyen de préciser la direction empruntée le plus naturellement par l'imagination ? Si la mémoire est tournée vers le passé, l'imagination est plutôt orientée vers le futur. Elle pressent l'avenir, prévoit les éventualités, tisse la trame des conjectures et des hypothèses, elle est une ouverture sur l'espace illimité de l'*infini* et du *possible.* Le champ d'activité de l'imagination se situe dans la perspective de l'infini et dans la création du possible, ainsi que Baudelaire l'a observé : « L'imagination est la reine du vrai, et le *possible* est une des provinces du vrai. Elle est positivement apparentée avec l'infini »[12]. André Breton, dans le *Premier manifeste du surréalisme*, lui attribue la même fonction, celle d'exprimer le possible : « La seule imagination me rend compte de ce qui *peut être*, et c'est assez pour lever un peu le terrible interdit ; assez aussi pour que je m'abandonne à elle sans crainte de me tromper »[13]. Le possible et l'infini sont la sphère où l'imagination affirme son autonomie, en marge de toute contrainte et de tout obstacle.

La vérité du possible est, au regard de l'imagination, plus authentique que la vérité du réel. Il ne s'agit pas seulement d'une intuition propre aux poètes et aux artistes, mais d'un fait attesté par les recherches de la philosophie moderne. Jeanne Bernis définit l'imagination comme « la fonction mentale dans sa totalité orientée vers le possible », comme la fonction qui crée l'univers de la virtualité où le sujet et l'objet s'identifient.

« Le monde imaginaire est notre œuvre. Nous le vivons et la caractéristique de la structure imaginaire est davantage dans cette fusion objet-sujet que dans le fait de déclarer présent ce qui est absent. Il y a fusion momentanée et cependant une distinction reste à l'état virtuel : nous prenons ce possible que nous venons de créer pour une réalité indépendante et se suffisant à elle-même ; l'objet imaginaire parce qu'il est pure possibilité détermine en nous une attitude, une modification de notre conscience à la façon d'un véritable objet. » [14]

Le possible, inventé par l'imagination, concilie la pensée et le sentiment, associe le sujet et l'objet ; il propose un mode de synthèse supérieur aux capacités du réel. Il n'est dès lors pas surprenant que certains tempéraments imaginatifs préfèrent à la réalité le possible comme l'objet souverain de leurs désirs. C'est en lui qu'ils satisfont leur aspiration à la plénitude et découvrent la dimension de l'infini. Jean-Jacques Rousseau a clairement pressenti que telle était l'une des fonctions majeures de l'imagination. « C'est l'imagination qui étend pour nous la mesure des possibles, soit en bien, soit en mal, et qui, par conséquent, excite et nourrit les désirs par l'espoir de les satisfaire... Le monde réel a ses bornes, le monde imaginaire est infini » [15]. Ainsi l'imagination, orientée vers l'accomplissement du possible dans le champ de l'infini, commande l'aventure intérieure et l'engage dans la voie de la beauté. Eugène Delacroix a raison d'affirmer que c'est l'imagination qui *fait le beau.* La vraie beauté n'est pas une qualité ou un attribut du réel, mais de l'imaginaire, elle se déploie en dehors du sensible, dans un univers second, échafaudé par l'imagination. L'invention du possible et de la beauté ne s'accomplit qu'au niveau de l'imaginaire, parce que seule l'imagination franchit les limites de notre condition terrestre en concevant un ailleurs, un au-delà compensateur. Nous serions, sans elle, privés de toute création mythique ou religieuse, signifiante ou symbolique. L'imagination introduit dans l'âme la dimension de l'infini ; elle est bien *ce soleil de l'esprit* qui illumine le monde d'une clarté surnaturelle et lui restitue le sens de l'unité transcendante. Faculté spirituelle, elle nous met en communication avec la réalité de l'invisible qu'elle a le pouvoir de déchiffrer et de traduire, ainsi que Maurice de Guérin l'a si remarquablement observé dans *Le Cahier vert* (10 décembre 1834) :

« J'étends au large le sens du mot imagination : c'est pour moi le nom de la vie intérieure, l'appellation collective des plus belles facultés de l'âme, de celles qui revêtent les idées de la parure des images, comme de celles qui, tournées vers l'infini, méditent perpétuellement l'invisible et l'imaginent avec des images d'origine inconnue et de forme ineffable ».

CHAPITRE II

De Cyrano de Bergerac à Diderot

Parmi les éléments qui contribuent à rompre la continuité entre le XVIIe et le XVIIIe siècle, il en est un que l'on n'a pas toujours mis assez nettement en évidence : c'est le jugement très dissemblable que les écrivains et philosophes de ces deux siècles ont porté sur la nature ou les fonctions de l'imagination. A l'époque classique toutes les opérations de l'esprit sont soumises au gouvernement et au contrôle de la raison, tandis que les penseurs du XVIIIe siècle tendent souvent à détacher de la raison les autres facultés de l'esprit ou à leur accorder une indépendance relative. La sensation, la mémoire et l'imagination acquièrent leur autonomie en se libérant de la tutelle de l'intelligence. Chateaubriand observe dans le *Génie du christianisme* que cet affranchissement de l'imagination constitue un des caractères prédominants de la philosophie moderne. « La métaphysique du jour diffère de celle de l'antiquité, en ce qu'elle sépare, autant qu'il est possible, l'imagination des perceptions abstraites » [1]. Cette émancipation à laquelle ont participé des moralistes comme Vauvenargues, des philosophes tels que Condillac et La Mettrie, est l'œuvre du XVIIIe siècle, en particulier de Diderot et de Jean-Jacques Rousseau.

De Malherbe à Fénelon, le XVIIe siècle a manifesté une durable méfiance à l'égard de l'imagination ; il l'a proscrite avec intransigeance en la considérant comme une faculté instinctive, aveugle, capricieuse et rebelle à l'autorité de la raison. Pellisson est allé jusqu'à prétendre qu'elle est « la partie que nous avons commune avec les bêtes » [2]. Rares sont les voix qui se sont élevées pour revendiquer la liberté de l'imagination. Mathurin Régnier, attaché à la tradition du XVIe siècle, proteste contre la poétique rationnelle de Malherbe et de son école. Dans sa *IXe Satire* il dénonce en eux des écrivains « faibles d'inventions », « froids à l'imaginer » et incapables de « tenter les fictions ». Théophile de Viau s'insurge aussi contre les contraintes de la règle, il défend les droits de la fantaisie et de la libre invention, commandés par les sinuosités de la méditation poétique. Il écrit dans son *Elégie à une dame :*

Mon âme imaginant n'a point la patience
De bien polir les vers et ranger la science :
La règle me déplaît, j'écris confusément,
Jamais un bon esprit ne fait rien qu'aisément...
Il y faut par miracle être fol sagement,
Confondre la mémoire avec le jugement,
Imaginer beaucoup...

Pourtant le seul écrivain qui ait, au XVIIe siècle, hardiment plaidé en faveur de l'imagination est Cyrano de Bergerac dans *L'Autre Monde ou les états et empires de la lune et du soleil.* Les êtres solaires se distinguent par la chaleur de l'imagination qui consacre leur supériorité sur la race humaine. Alors que les hommes ont le corps pesant et l'invention froide, les habitants du soleil possèdent le privilège double d'un corps subtil et d'une imagination mobile.

« Nous devons avoir l'imagination beaucoup plus active que ceux des régions opaques, et la substance du corps aussi beaucoup plus déliée. Or, cela supposé, il est infaillible que notre imagination ne rencontrant aucun obstacle dans la matière qui nous compose, elle l'arrange comme elle veut. » [3]

L'imagination, affranchie de la pesanteur de la chair, devient la faculté du mouvement, elle produit les changements les plus variés, les métamorphoses les plus inattendues.

« Alors je commençai de comprendre qu'en effet l'imagination de ces peuples solaires, laquelle, à cause du climat, doit être plus chaude, leurs corps, pour la même raison, plus légers, et leurs individus plus mobiles (n'y ayant point, en ce monde-là comme au nôtre, d'activité de centre qui puisse détourner la matière du mouvement que cette imagination lui imprime) je conçus, dis-je, que cette imagination pouvait produire sans miracle tous les miracles qu'elle venait de faire. »[4]

Le passage le plus surprenant de *L'Autre Monde* sur le pouvoir de l'imagination est à coup sûr l'allégorie des trois fleuves. Le premier, large, aux eaux bourbeuses et bruyantes, est celui de la Mémoire. Le second, celui de l'Imagination, est plus étroit, mais plus lumineux et plus profond, il entraîne le « pur or potable » de l'alchimie et « un grand nombre de pierres philosophales éclatent parmi son sable ». Quant au troisième, le fleuve du Jugement, il est aussi profond, mais lent et froid. Les fleuves de la Mémoire et de l'Imagination communiquent entre eux grâce à « une infinité de bras qui s'entrelacent ». Ils ne mêlent toutefois pas leurs eaux de manière égale et harmonieuse, tantôt l'un des courants, tantôt l'autre prédomine. « Partout où la Mémoire est forte, l'Imagination diminue ; et celle-ci grossit à mesure que l'autre s'abaisse »[5]. La mémoire et l'imagination collaborent à l'intérieur de l'esprit humain, mais l'accroissement de l'une des deux facultés se produit aux dépens de l'autre. Quoi qu'il en soit, Cyrano de Bergerac leur accorde plus de confiance et de crédit qu'au jugement. C'est là une perspective singulièrement originale pour l'époque, étrangère à l'esprit du siècle.

La doctrine classique enseigne à contenir l'imagination dans les limites de la raison et la soumet au contrôle du jugement. Il importe de freiner ses élans, de prévenir ses écarts, car elle est toujours sur le point d'enfanter des monstres et des fantômes. Guez de Balzac écrivait à Chapelain en 1638 : « Nous sommes de même opinion... l'imagination toute seule, en quelque degré de perfection qu'elle puisse être, ne peut être fertile qu'en monstres »[6]. L'imagination, indispensable au génie, n'est pas abolie, mais reléguée au second plan et subordonnée à la souveraineté de la raison. Les théoriciens de la doctrine classique interdisent aux écrivains de s'abandonner aux hasards et aux caprices de l'invention pure. L'imagination ne dispose d'aucune indépendance, ses découvertes sont passées au crible du bon sens, soumises à la critique du jugement. Selon les prescriptions de Boileau, « tout doit tendre au bon sens », à la recherche de l'ordre, de la mesure et de l'équilibre. La raison domestique les facultés créatrices, canalise leurs mouvements, leur impose une cohérence et une discipline. Livrée à elle-même, l'imagination ne produirait que des objets hybrides et extravagants, aussi la primauté de la raison est-elle une contrainte nécessaire. Ce point de vue dogmatique a prévalu pendant tout le siècle de telle sorte que La Bruyère est encore persuadé qu' « une vaste imagination emporte hors des règles et de la justesse »[7]. Et Fénelon dans sa *Lettre à l'Académie* continue à proclamer la souveraineté de la raison : « Il faut, au contraire, pour former un poète égal aux anciens, qu'il montre un jugement supérieur à l'imagination la plus vive et la plus féconde ». Même La Fontaine, le plus libre des écrivains du XVIIe siècle, se borne à louer « les diverses imaginations de la nature, qui se joue dans les animaux comme elle fait dans les fleurs »[8]. L'imagination n'est pas vraiment créatrice, elle est plutôt le pouvoir de se figurer, de se représenter les êtres et les choses inventés par la nature. Elle s'identifie avec la vision et se confond avec la mémoire.

Plus encore que les théoriciens et les écrivains, les penseurs du XVIIe siècle, Descartes, Pascal, Bossuet et Malebranche, se sont montrés d'une intransigeante sévérité à l'égard de l'imagination. Même si la philosophie de Descartes n'a eu que peu d'action sur la littérature du XVIIe, elle n'en exprime pas moins certaines tendances fondamentales du siècle. Elle a accrédité l'idée qu'*il suffit de bien juger pour bien faire* et contribué à déprécier l'imagination en inspirant de la méfiance à son endroit. Dans le système de Descartes, l'imagination représente un effort extérieur à la nature profonde de la pensée, elle est étrangère à l'activité de l'esprit et à l'essence de l'être. La pensée pure qui fonctionne indépendamment du secours des images se passe aisément de tout appui de la pensée imaginative.

« Je remarque outre cela que cette vertu d'imaginer qui est en moi, en tant qu'elle diffère de la puissance de concevoir, n'est en aucune sorte nécessaire à ma nature ou à mon essence, c'est-à-dire à l'essence de mon esprit ; car, encore que je ne l'eusse point, il est sans doute que je demeurerais toujours le même que je suis maintenant : d'où il semble que l'on puisse conclure qu'elle dépend de quelque chose qui diffère de mon esprit. » [9]

L'imagination, source d'erreurs et d'incertitudes, n'est d'aucune assistance dans l'effort que l'on tente pour se connaître. « Je connais manifestement que rien de tout ce que je puis comprendre par le moyen de l'imagination, n'appartient à cette connaissance que j'ai de moi-même » [10]. Descartes exclut l'imagination de toute recherche métaphysique et révoque en doute son témoignage en même temps que celui des sens, parce qu'il ne saurait fournir une connaissance claire et distincte des essences. Il dénonce, dans une lettre à Mersenne (1637), « la fausseté ou l'incertitude qui se trouve en tous les jugements qui dépendent du sens ou de l'imagination » [11]. Et dans la quatrième partie du *Discours de la méthode* il précise que l'acte d'imaginer est défini par son instabilité et qu'il ne peut de lui-même apporter aucune évidence : « Au lieu que ni notre imagination ni nos sens ne nous sauraient jamais assurer d'aucune chose, si notre entendement n'y intervient ». L'imagination est radicalement distincte de l'entendement ; la pensée dans l'acte de pure intellection n'utilise que ses ressources propres, tandis que l'imagination est orientée vers le corps, vers la contemplation des formes matérielles. Descartes ne recourt à l'imagination que pour penser le monde corporel, pour se représenter les choses sensibles. « Imaginer n'est rien autre chose que contempler la figure ou l'image d'une chose corporelle » [12]. L'imagination ne permet ni de comprendre, ni de juger, elle est la pensée en tant qu'elle s'applique à la réalité matérielle ; elle est la faculté qui sert à se représenter les corps et à établir de manière probable l'existence des objets sensibles.

« La faculté d'imaginer qui est en moi, et de laquelle je vois par expérience que je me sers lorsque je m'applique à la considération des choses matérielles, est capable de me persuader leur existence ; car quand je considère attentivement ce que c'est que l'imagination, je trouve qu'elle n'est autre chose qu'une certaine application de la faculté qui connaît au corps qui lui est intimement présent, et partant qui existe. » [13]

L'imagination se fixe sur le monde des corps, elle se borne à reproduire les objets et n'exerce pas de vraie fonction créatrice. Elle est la pensée attentive à contempler, à figurer les choses corporelles. « L'imagination est la pensée tournée vers le corps, la pensée visant le corps au moyen d'images corporelles » [14]. Ainsi, la philosophie cartésienne a singulièrement réduit le pouvoir de l'imagination, elle en propose une conception géométrique et la considère comme une faculté corporelle, limitée par les perceptions sensibles. Cette attitude critique sera continuée par Malebranche qui, dans *La Recherche de la vérité*, s'attachera à prouver les erreurs et le *dérèglement* de l'imagination. La faculté d'imaginer, liée à l'activité des sens, est le principe des illusions et des fictions mensongères.

Pascal est, contrairement à Descartes, persuadé de la puissance de l'imagination, puissance redoutable et nuisible qui tient en échec la raison, l'entrave et la combat. La raison n'est plus infaillible dans le système de Pascal, elle entre en conflit avec l'imagination et ne l'emporte pas communément. « Jamais la raison ne surmonte totalement l'imagination, mais le contraire est ordinaire » [15]. L'imagination domine le monde et les hommes, « dispose de tout », engendre la croyance et le doute, égare le jugement, concurrence la raison et agit sur les sens, elle établit les règles de la beauté, fonde les lois de la justice et du bonheur de telle sorte que l'homme peut la considérer comme une *seconde nature*. « Cette superbe puissance ennemie de la raison qui se plaît à la contrôler et à la dominer, pour montrer combien elle peut en toutes choses, a établi dans l'homme une seconde nature »[16]. La *faculté imaginante* n'est bornée et dépassée dans le monde que par la nature, puisqu' « elle se lassera plutôt de concevoir que la nature de fournir ». Mais, par sa puissance même, elle est trompeuse, source de méprises, de tentations et d'égarements, elle « semble nous être donnée exprès pour nous induire à une erreur nécessaire ». L'imagination ne saurait fournir aucun critère de vérité, parce qu'elle ne distingue pas le vrai du faux et qu'elle représente dans l'esprit un principe d'incertitude et d'insécurité. Elle est d'autant plus dangereuse qu'elle se définit par son ambiguïté, elle dupe d'autant plus facilement la raison qu'elle exerce son activité aux confins indiscernables de la vérité et du mensonge. « Imagination. C'est cette partie dominante de l'homme, cette maîtresse d'erreur et de fausseté, et d'autant plus fourbe qu'elle ne l'est pas toujours, car elle serait règle infaillible de vérité, si elle l'était infaillible du mensonge »[17]. Le mensonge de l'imagination consiste à détruire les justes mesures, à déformer les proportions et à fausser les perspectives, elle accroît démesurément de petites choses et rabaisse les grandes qui dépassent sa portée. « L'imagination grossit les petits objets jusqu'à en remplir notre âme par une estimation fantasque, et par une insolence téméraire elle amoindrit les grandes jusqu'à sa mesure, comme en parlant de Dieu »[18].

En un sens Pascal est plus sévère que Descartes dans son jugement sur l'imagination, mais il en a mieux saisi la nature, le pouvoir et la fonction. Il a observé en particulier que la raison ne parvient pas à domestiquer l'imagination et qu'il en résulte un conflit intérieur dans lequel le bon sens ne triomphe pas nécessairement. Pascal est le premier des penseurs du XVIIe siècle à concevoir clairement la dualité de la raison et de l'imagination, à comprendre que l'homme aspire à « vivre dans l'idée des autres d'une vie imaginaire ». Il dénonce en l'homme cette préférence qu'il accorde aux ornements imaginaires et aux apparences flatteuses de l'être. « Nous travaillons incessamment à embellir et conserver notre être imaginaire et négligeons le véritable »[19]. Le tort de l'imagination est de nous soustraire à la réalité profonde de l'être en nous précipitant dans le mensonge de la fiction.

Bossuet est plus indulgent que ses prédécesseurs à l'égard de l'imagination. Il la regarde comme un sens intérieur qui dépend de la sensation et la continue. « L'imagination n'est autre chose que l'image de la sensation »[20]. Si l'imagination est moins vive, moins intense que la sensation, « parce que l'image dégénère toujours de la vivacité de l'original »[21], elle est en revanche plus constante. Imaginer, c'est sentir intérieurement, selon une durée intérieure. La faculté imaginative enregistre et se représente les images des objets qu'elle a sentis, elle les prolonge grâce à la mémoire qui *lui appartient*. Mais elle ne produit que des images de la sensation. « On ne peut imaginer que des choses corporelles et sensibles »[22]. L'imagination, alimentée par la sensation, ne doit pas s'écarter des éléments que celle-ci lui fournit, car « tout ce que l'imagination ajoute à la sensation est pure illusion »[23]. Elle est tentée de se nourrir d'objets chimériques, elle est sujette aux abus et aux égarements, naturellement *vagabonde* et *dissipée*, ou même nerveuse et confuse, elle procède par *circonvolutions*, et, par sa puissance d'expansion, elle menace d'éteindre la raison et le jugement. Ce sont là des dangers que l'on peut prévenir en tenant l'imagination en bride et en évitant de lui abandonner le gouvernement des facultés. Il ne faut pas se laisser dominer par elle, mais corriger ses effets nuisibles, freiner et contenir sa mobilité par un effort de la conscience. « Nous pouvons fixer, par une attention volontaire, les pensées confuses de notre imagination dissipée »[24]. Dans l'inévitable alliance qui se produit entre la raison et l'imagination, la première doit à tout prix conserver la primauté. « La raison nous est donnée pour nous élever au-dessus des sens et de l'imagination »[25], elle nous échoit pour régler le mouvement de nos facultés. Lorsqu'elle est disciplinée, l'imagination assiste l'intelligence dans la recherche de la vérité, elle fournit les images sensibles sur lesquelles l'esprit concentre sa méditation. Elle anime les grandes passions, elle leur imprime cette force de l'idéalisation qui les fait vivre et les élève. « Tout cœur passionné embellit dans son imagination l'objet de sa passion »[26]. Elle excite l'enthousiasme, inspire les poètes « dont l'ouvrage dépend tout entier d'une certaine chaleur d'imagination »[27]. Bossuet est moins porté que la plupart de ses contemporains à écarter systématiquement la puissance de l'imagination, il s'en méfie certes, il conseille de la maîtriser, de l'épurer, mais ne lui refuse pas toute action positive. Il reconnaît qu'il existe un bon usage de l'imagination à condition qu'on la dépouille de sa violence et que l'on contrôle son échauffement. Elle est nécessaire à l'élancement de l'esprit et à l'enthousiasme poétique qui reçoivent d'elle la substance métaphorique. Ce sont là des vues qui, tout en demeurant fidèles au génie classique et à l'esprit cartésien, se rapprochent de l'optique du XVIIIe siècle. Bossuet semble avoir conçu que la création littéraire est impossible sans le concours de l'imagination.

*

* *

Si la doctrine classique s'est efforcée de brider l'imagination en lui imposant le contrôle sévère du jugement, le XVIIIe siècle favorise au contraire le renouveau de l'imagination en même temps qu'il rétablit le sentiment dans ses droits. Il conserve le goût des raisonnements abstraits, mais n'est plus absolument convaincu de l'universalité de la raison ; les lois de l'évidence cartésienne, fondées sur un mode géométrique de penser, ne le satisfont plus complètement. On devient moins confiant dans les pouvoirs de l'intelligence logique et on substitue peu à peu à la raison soit l'observation et l'expérience, soit la sensibilité et l'imagination. A partir de 1740 il se produit en France une réaction contre le rationalisme et un affaiblissement du pouvoir de la raison qui cède insensiblement l'hégémonie aux vertus du sentiment et de l'invention. Lorsque Joubert reprochera plus tard à la philosophie de Descartes de ne pas donner «assez d'exercice à l'imagination en liberté», il exprimera l'opinion de plusieurs écrivains du XVIIIe siècle. Montesquieu, dans ses pages de journal, blâme les moralistes français de s'adresser exclusivement à l'intelligence du lecteur, d'utiliser un langage trop abstrait qui néglige les ressources des facultés imaginatives et sensibles. « Nos auteurs moraux sont presque tous outrés : ils parlent à l'entendement pur, et non pas à cette âme à qui l'union a donné des modifications nouvelles par le moyen des sens et de l'imagination »[28]. Cette renaissance de la sensibilité et de l'imagination ne s'est toutefois pas opérée d'un seul coup, elle a rencontré des résistances et éveillé des doutes. On commence à se persuader dans la première moitié du XVIIIe siècle que le sentiment est antérieur à la raison et qu'il doit conserver l'hégémonie, mais on se méfie encore de l'imagination, de ses emportements et des dérèglements qu'elle produit. Selon Marivaux, le feu de l'imagination ne procure qu' « un plaisir imposteur et confus ». Pour l'abbé Batteux, la chaleur de l'imagination demeure factice, antinaturelle, et l'enthousiasme est « l'effet d'une imagination échauffée artificiellement par les objets qu'elle se représente dans la composition »[29]. Voltaire reste soucieux de tempérer les effets de l'imagination par l'action du jugement. Marivaux dans ses romans peint le réel plutôt que l'imaginaire, l'observation réaliste du monde humain le tente plus que les inventions fortuites de l'imagination. Il écrit dans *La Vie de Marianne :* « Je vous révèle ici des faits qui vont comme il plaît à l'instabilité des choses humaines, et non pas des aventures d'imagination qui vont comme on veut ». L'abbé Prévost au contraire cède aux emportements de l'imagination romanesque et considère l'amour comme une passion violente, fatale, qui « s'empare de l'imagination aussi souverainement que du cœur »[30]. Il observe dans *Pour et contre* que « le penchant à la tendresse ou à la volupté » est déterminé par des *causes accidentelles*, entre autres « par un certain tour d'imagination qu'on doit dès sa jeunesse à la lecture des poètes et des romans »[31]. La puissance imaginative communique son énergie à l'œuvre romanesque ainsi qu'à l'âme des personnages. Manon et Des Grieux ne résistent plus aux charmes de leur imagination qui domine leur volonté et leur raison. Ils découvrent dans l'aventure orageuse de leur passion que « la force de l'imagination fait trouver du plaisir dans ces maux mêmes, parce qu'ils peuvent conduire à un terme heureux qu'on espère ». Elle console les amants de leurs tourments terrestres, flatte en eux des espérances et entretient dans leur cœur des illusions qui les font vivre. Ce sentiment du rôle compensateur de l'imagination annonce *La Nouvelle Héloïse* et ouvre un des chemins qui déboucheront sur « le pays des chimères ».

A côté de l'abbé Prévost, il est dans la première moitié du XVIIIe siècle un écrivain préoccupé par les problèmes de l'imagination. C'est Vauvenargues, ce moraliste original, indépendant auquel on rend si rarement justice. Plus que tout autre à l'époque, il éprouve les limites de la raison dont le joug lui pèse. Tempérament dualiste, incapable d'accorder son intelligence et son cœur, il demeure convaincu de la prédominance du sentiment sur la réflexion. Non seulement le sentiment est antérieur à la raison et plus efficace qu'elle, mais il ne nous induit pas en erreur. « Le sentiment ne nous est pas suspect de fausseté »[32]. Ce n'est pas le sentiment ou la nature qui nous trompe, mais bien plutôt la raison. « La raison nous trompe plus souvent que la nature », dit la maxime CXXIII. Selon Vauvenargues, les trois opérations de l'esprit humain sont les actes d'imaginer, de se souvenir et de réfléchir. L'imagination est la faculté de concevoir, de se représenter, puis de s'exprimer par le truchement des images. Elle joue à ce titre un rôle nécessaire dans les arts et le génie poétique. « J'appelle imagination le don de concevoir les choses d'une manière figurée et de rendre ses pensées par des images. Ainsi l'imagination parle toujours à nos sens ; elle est l'inventrice des arts et l'ornement de l'esprit »[33].

La mémoire lui est subordonnée, puisqu'elle « conserve le précieux dépôt de l'imagination » et demeure purement passive. L'imagination est au contraire active, dynamique, toujours *renaissante ;* définie par sa chaleur et sa vivacité, elle détermine chez les écrivains et les artistes la fécondité de l'invention, favorise les rencontres, les associations entre les objets. Vauvenargues admire dans l'œuvre de Racine « une vaste imagination, qui a embrassé et pénétré rapidement toute l'économie des choses humaines » et chez Voltaire une puissance d'invention « qui rapproche de loin les choses humaines ». L'imagination engendre ces chimères auxquelles se plaît l'esprit de la jeunesse et que le tempérament rêveur de Vauvenargues a peut-être cultivées. « L'imagination d'un jeune homme enfante aisément toutes ces chimères que nos romanciers ne composent qu'après bien des veilles »[34].

Pourtant Vauvenargues s'écarte davantage de la tradition rationaliste du XVIIe siècle en considérant qu'il existe « une justesse et une netteté d'imagination ». Celle-ci ne produit pas nécessairement le trouble, la confusion ou l'incohérence, elle peut s'harmoniser avec la clarté et la précision. C'est l'une des lacunes de la philosophie cartésienne de n'avoir pas envisagé la possibilité de cette alliance entre l'invention et l'exactitude.

« Descartes a pu se tromper dans quelques-uns de ses principes et ne point se tromper dans ses conséquences, sinon rarement ; on aurait donc tort, ce me semble, de conclure de ses erreurs que l'imagination et l'invention ne s'accordent point avec la justesse. La grande vanité de ceux qui n'imaginent pas est de se croire seuls judicieux et raisonnables ; ils ne font pas attention que les erreurs de Descartes, génie créateur, ont été celles de trois ou quatre mille philosophes, tous gens sans imagination ». [35]

Puisque l'imagination contient la justesse, elle peut entraîner l'esprit dans la recherche de la vérité. Intuitive, plus intrépide et aventureuse que les autres facultés, elle possède le sens de la découverte. « Un tour d'imagination un peu hardi nous ouvre souvent des chemins pleins de lumière »[36]. Elle illustre la pensée, embellit l'existence en la parant des couleurs de la témérité. Par son ardeur naturelle, son goût du risque, l'imagination appelle les erreurs et les provoque, mais ces erreurs sont souvent les signes d'une destinée éminente. « On s'étonne toujours qu'un homme supérieur ait des ridicules, ou qu'il soit sujet à de grandes erreurs, et moi je serais très surpris qu'une imagination forte et hardie ne fît pas commettre de très grandes fautes »[37].

Toutefois, l'imagination seule ne constitue pas le génie, elle doit être complétée par la mémoire et le jugement, plus encore par une pénétrante sensibilité. « Tant s'en faut que l'imagination donne l'exclusion au génie »[38]. L'invention s'exprime bien sûr à l'aide de l'imagination, mais elle plonge ses racines les plus profondes dans le cœur et tire du sentiment sa substance intime. Aussi Vauvenargues juge-t-il le langage du sentiment supérieur à tout autre. « La naïveté se fait mieux entendre que la précision ; c'est la langue du sentiment, préférable à celle de l'imagination et de la raison, parce qu'elle est belle et vulgaire »[39]. Le langage du cœur conserve sur le langage de l'imagination le privilège d'être issu spontanément de la nature. De toute manière l'imagination n'invente pas les figures qu'elle utilise, elle les emprunte à la richesse de la nature. « Un poète ne crée pas les images de sa poésie ; il les prend dans le sein de la nature et les applique à différentes choses pour les figurer aux sens »[40]. Ainsi, le pouvoir de l'imagination, dans la création littéraire et artistique, dépend de la profondeur du sentiment et des suggestions de la nature.

Les philosophes du XVIIIe siècle français ne se distinguent pas seulement de leurs prédécesseurs par leur défiance de toute spéculation métaphysique, par leurs tendances empiriques et sensualistes, mais aussi par le rôle qu'ils assignent à l'imagination dans les opérations de l'esprit. La philosophie du sentiment et de la nature a réhabilité l'imagination, discréditée par le rationalisme classique. Cet effort est particulièrement sensible chez La Mettrie, Condillac et Diderot. La Mettrie est allé plus loin que Vauvenargues dans l'apologie de l'imagination, il l'identifie avec l'âme et le génie humain, il concentre en elle la plupart des fonctions psychiques. « Je me sers toujours du mot *imaginer*, parce que je crois que tout s'imagine, et que toutes les parties de l'âme peuvent être justement réduites à la seule imagination, qui les forme toutes »[41]. La mémoire, le jugement et le raisonnement dépendent d'elle, à tel point que « tout se conçoit par l'imagination » et peut s'expliquer par elle. Elle ne se borne pas à représenter les objets, mais invente les signes, les figures et les mots qui déterminent ces objets. L'imagination accomplit tous les actes de l'esprit, « elle raisonne, juge, pénètre, compare, approfondit », elle anime le monde de la nature et habille de chair colorée « le froid squelette de la raison », établit les comparaisons et les analogies, « saisit exactement tous les rapports des idées qu'elle a conçues, embrasse avec facilité une foule étonnante d'objets, pour en tirer enfin une longue chaîne de conséquences ». Elle aiguise en amour le plaisir et la volupté, éveille le sentiment de la beauté. Elle est la faculté créatrice qui concourt au développement des lettres, des arts, des sciences et de la philosophie. « La plus belle, la plus grande, ou la plus forte imagination, est donc la plus propre aux sciences, comme aux arts ». L'imagination se caractérise par son emportement, son impétuosité, semblable à l' « oiseau sur la branche », elle est toujours sur le point de prendre son envol, de céder à sa vivacité naturelle, si on ne lui impose aucun frein et qu'un effort de lucidité ne s'applique à la contenir. Elle est mouvante et fugitive comme le temps, elle meurt et ressuscite comme le phénix. « L'imagination, véritable image du temps, se détruit et se renouvelle sans cesse ». Livrée à l'enthousiasme de ses impulsions, elle est propre aux arts et à la poésie, mais pour nourrir la réflexion philosophique elle doit être fixée par l'attention et réglée par la logique. Une trop grande liberté de l'imagination, impuissante « à se brider elle-même », nuit à la clairvoyance du jugement. « L'imagination trop abandonnée à elle-même, presque toujours comme occupée à se regarder dans le miroir de ses sensations, n'a pas assez contracté l'habitude de les examiner elles-mêmes avec attention ». Puisque l'imagination comprend les autres facultés psychiques, elle peut remédier aux dangers de sa mobilité, dominer les sensations et s'imposer le contrôle de la réflexion. Elle devient alors, pour le philosophe et le savant, un moyen de connaissance capable de saisir l'univers matériel dans sa totalité.

Analyste moins passionné, plus circonspect que La Mettrie, Condillac a également étudié la nature de l'imagination dans l'*Essai sur l'origine des connaissances humaines* et le *Traité des sensations.* L'imagination est une faculté de l'âme, mue par la sensation ; ce sont les impressions sensibles qui déterminent son action. Elle est liée à la mémoire et s'en distingue en même temps. L'imagination ranime les perceptions en l'absence de l'objet, tandis que la mémoire ressuscite les *signes*, les *circonstances* qui accompagnent ces perceptions. « Il y a entre l'imagination, la mémoire et la réminiscence un progrès qui est la seule chose qui les distingue. La première réveille les perceptions même ; la seconde n'en rappelle que les signes ou les circonstances, et la dernière fait reconnaître celles qu'on a déjà eues » [42]. Condillac précise dans le *Traité des sensations* qu'il existe entre la mémoire et l'imagination une différence de degré, d'intensité. La première est orientée vers le passé, la seconde vers le présent. L'imagination qui représente à l'esprit l'image de l'objet absent comme s'il était présent est plus vive, plus puissante, plus créatrice que la mémoire.

« Elle conserve le nom de mémoire, lorsqu'elle ne rappelle les choses que comme passées ; et elle prend le nom d'imagination, lorsqu'elle les retrace avec tant de force qu'elles paraissent présentes... La mémoire est le commencement d'une imagination qui n'a encore que peu de force ; l'imagination est la mémoire même parvenue à toute la vivacité dont elle est susceptible. »

Le fonctionnement de la mémoire et de l'imagination dépend de l'enchaînement des idées, puis surtout de la liaison entre les idées et les signes. Cette communication analogique qui s'établit à la faveur de l'objet accroît le pouvoir des facultés psychiques et conditionne le mouvement de la réflexion. « Il est constant qu'on ne peut mieux augmenter l'activité de l'imagination, l'étendue de la mémoire, et faciliter l'exercice de la réflexion, qu'en s'occupant des objets qui, exerçant davantage l'attention, lient ensemble un plus grand nombre de signes et d'idées »[43]. L'imagination invente les signes nécessaires à l'association des idées, elle crée les mots, les figures qui servent à fixer les notions abstraites. Cependant, elle n'est pas aussi souveraine dans le système de Condillac que chez La Mettrie. L'imagination compromet la solidité du jugement ou altère la justesse d'esprit, si elle n'est pas équilibrée par le travail de l'analyse attentive à préserver l'exactitude et la cohérence. Elle ne devient un instrument de la connaissance que disciplinée et contenue par les clartés de l'analyse. « L'analyse et l'imagination sont deux opérations si différentes qu'elles mettent ordinairement des obstacles aux progrès l'une de l'autre »[44]. Le champ de l'imaginaire est circonscrit par l'analyse. L'opposition entre ces deux facultés est telle que de rares esprits parviennent à les concilier. La plupart du temps l'une ou l'autre prévaut selon le tempérament ou au gré des circonstances. L'harmonie parfaite entre l'analyse et l'imagination serait le fait d'un génie exceptionnel.

Condillac attribue au mot imagination deux sens distincts : elle est d'une part « l'opération qui réveille les perceptions en l'absence de l'objet », d'autre part « une opération qui, en réveillant les idées, en fait à notre gré des combinaisons toujours nouvelles »[45]. Elle franchit les limites du temps et de l'espace, associe les qualités des objets ou les transfère d'un objet à l'autre selon un mode étranger aux lois de la nature ; elle rapproche les idées lointaines et les relie par l'intermédiaire des signes du langage. L'imagination ne se borne pas à former des liaisons, des analogies, elle engendre les fictions et construit des châteaux en Espagne. Elle procure des plaisirs et des enchantements supérieurs à ceux du réel, elle idéalise la vision du monde, embellit les apparences de la vérité. Mais comme l'imagination « altère tout ce qu'elle touche », elle peut l'altérer soit en bien, soit en mal. Condillac exprime avant Rousseau la redoutable ambiguïté de l'imagination qui présente des *vices* et des *avantages*, console ou désespère, engendre la crainte ou l'espérance, le tourment ou le plaisir.

« Le pouvoir de l'imagination est sans bornes. Elle diminue ou même dissipe nos peines, et peut seule donner aux plaisirs l'assaisonnement qui en fait tout le prix. Mais quelquefois c'est l'ennemi le plus cruel que nous ayons : elle augmente nos maux, nous en donne que nous n'avions pas, et finit par nous porter le poignard dans le sein. » [46]

Ce paragraphe traduit le drame que vivra Jean-Jacques. Tantôt l'imagination accroît nos difficultés en créant des obstacles fictifs, tantôt elle embellit la réalité et la pare de couleurs captivantes. Elle peut causer l'agrément comme le désagrément. Mais sa fonction la plus commune est d'embellir le réel à l'aide d'ornements fictifs. L'imagination s'approprie les objets de la nature afin d'en extraire le charme, l'éclat, la beauté. Bien qu'elle ne soit pas souveraine, elle poétise le monde et la pensée en les vêtant de signes, de métaphores qui parlent le langage de l'âme.

Le point de vue de Voltaire, tel qu'il s'exprime dans l'article *imagination* de l'*Encyclopédie*, marque une régression, un retour à la conception rationaliste. Voltaire a de l'estime pour l'imagination à condition qu'elle soit soumise aux lois de la logique et de la nature, il n'éprouve en revanche que du mépris pour « ces imaginations fantastiques, dépourvues d'ordre et de bon sens ». Il se méfie de sa profusion, de son dérèglement, de ses erreurs et de ses incohérences. Il reproche à certains de ses contemporains de cultiver la vigueur de l'imagination. « Le grand défaut de quelques auteurs qui sont venus après le siècle de Louis XIV, c'est de vouloir toujours avoir de l'imagination ». Bien qu'ardente de nature, l'imagination doit être *sage* et *raisonnable*. Aussi Voltaire admire-t-il davantage l'imagination du savant ou du mathématicien que celle du poète, parce qu'elle témoigne de plus de rigueur et d'exactitude.

Dans son article, Voltaire propose de l'imagination la définition suivante : « C'est le pouvoir que chaque être sensible sent en soi de se représenter dans son cerveau les choses sensibles. Cette faculté est dépendante de la mémoire. On voit des hommes, des animaux, des jardins ; ces perceptions entrent par les sens ; la mémoire les retient ; l'imagination les compose ». L'imagination n'est pas spontanément créatrice, elle est un *don naturel* qui ne devient fécond qu'avec le concours de la mémoire et du jugement. Voltaire insiste sur l'idée que l'imagination procède de la mémoire, qu'elle tire la substance métaphorique du « magasin de la mémoire ». « La mémoire nourrie et exercée est la source de toute imagination ». Pourtant l'imagination est en nous la faculté qui forme et engendre les idées. « Peut-être ce don de Dieu, l'imagination, est-il le seul instrument avec lequel nous composons des idées, et même les plus métaphysiques ». Les pensées que je conçois sont des images, car je ne puis penser que sous la forme d'images. A la question qu'est-ce qu'une idée ?, Voltaire répond dans le *Dictionnaire philosophique :* « C'est une image qui se peint dans mon cerveau... Les idées les plus abstraites ne sont que les suites de tous les objets que j'ai aperçus... Je n'ai des idées que parce que j'ai des images dans la tête ». L'imagination sert de trait d'union entre la mémoire et l'entendement auxquels elle est associée.

Selon une tradition d'esprit cartésien, Voltaire discerne deux types d'imagination : celle qui est passive et celle qui est active. La première, étrangère au jugement, se confond avec la mémoire. Elle est chargée d'accueillir et de conserver l'empreinte des choses, d'emmagasiner les impressions produites par les objets. Elle est un sens intérieur qui se manifeste dans les rêves et les passions, sans qu'intervienne la volonté, elle correspond en quelque sorte à ce que nous appelons la mémoire involontaire ou l'inconscient. « Cette faculté passive, indépendante de la réflexion, est la source de nos passions et de nos erreurs ; loin de dépendre de la volonté, elle la détermine, elle nous pousse vers les objets qu'elle peint, ou nous en détourne, selon la manière dont elle les représente ». Au contraire, l'imagination active est attachée non seulement à la mémoire, mais à la réflexion, au jugement attentif à combiner et à organiser les idées reçues. « L'imagination active est celle qui joint la réflexion, la combinaison à la mémoire. Elle rapproche plusieurs objets distants ; elle sépare ceux qui se mêlent, les compose et les change ; elle semble créer quand elle ne fait qu'arranger ». Ainsi Voltaire refuse à l'imagination toute vertu créatrice. Elle établit des rapports, des analogies, ordonne les objets et dispose les idées, mais ne crée pas. Elle est cependant indispensable à l'art littéraire en ce sens qu'elle produit la fiction poétique, les ornements du style et les traits de l'expression. Enfin, l'imagination engendre l'enthousiasme, mais un enthousiasme que la raison a pour tâche de contrôler. Faculté instable, versatile, susceptible d'erreurs et de discordances, elle reçoit de la raison cet équilibre, cette stabilité qui lui font naturellement défaut.

Diderot n'est pas seulement préoccupé par la fonction de l'imagination dans la philosophie, les arts et la poésie, il est personnellement doué d'une imagination enthousiaste qui l'écarte du scepticisme et l'incite à consentir aux hasards de l'aventure. « Les esprits bouillants, les imaginations ardentes ne s'accommodent pas de l'indolence du Sceptique. Ils aiment mieux hasarder un choix que de n'en faire aucun ; se tromper que de vivre incertains » [47]. Diderot est à coup sûr un de ces tempéraments passionnés qui préfèrent le risque du choix et de l'erreur à l'inertie du sceptique. Il considère qu'aucune création n'est possible sans l'appui de l'imagination, « la qualité qui distingue l'homme de génie de l'homme ordinaire, et celui-ci du stupide ». L'imagination n'est pas seulement le signe du génie, elle différencie la nature humaine des autres natures, de telle sorte qu'elle est indispensable au philosophe, au savant, à l'artiste, au poète ainsi qu'au commun des hommes. « L'imagination, voilà la qualité sans laquelle on n'est ni un poète, ni un philosophe, ni un homme d'esprit, ni un être raisonnable, ni un homme » [48]. Elle est un des caractères distinctifs de la condition d'homme, un don naturel qui varie d'intensité d'un individu à l'autre. Elle revêt des aspects divers au gré de la personne, de la nature intime et du génie spécifique. « L'imagination prend des formes différentes ; elle les emprunte des différentes qualités qui forment le caractère de l'âme. Quelques passions, la diversité des circonstances, certaines qualités de l'esprit, donnent un ton particulier à l'imagination », écrit Diderot dans l'article *génie* de l'*Encyclopédie.* L'imagination du savant ou du philosophe se distingue de celle de l'homme ordinaire, elle se distingue aussi de celle de l'artiste ou du poète tant par sa nature que par ses exigences.

Toutefois l'imagination, abandonnée à elle-même, serait impuissante ; son activité créatrice dépend de nos organes, de nos sensations, de notre système nerveux et de notre mémoire. Elle est mue par le contact avec les objets de la nature, ou plus exactement par les perceptions de l'âme sensible et les impulsions affectives. En tant que faculté de la représentation, elle est assujettie à l'enchaînement des sensations et à l'activité de la mémoire. L'imagination ne saurait fonctionner ou inventer sans l'assistance de la mémoire. « Point d'imagination sans mémoire ; mémoire sans imagination »[49]. La mémoire est « la propriété du centre », affirme Bordeu dans *Le Rêve de d'Alembert,* « le sens spécifique de l'origine du réseau », parce qu'elle relie, organise les sensations et qu'elle assure la continuité de l'être sensible. Elle enregistre des perceptions par lesquelles elle affecte l'imagination. Mémoire et imagination ne sauraient être complètement identifiées. La première est attachée aux signes du langage, elle est « verbeuse, méthodique et monotone », tandis que l'imagination, liée aux objets de la nature et à l'affectivité, est « abondante..., irrégulière et variée ».

« La mémoire est des signes, l'imagination des objets. La mémoire fait les érudits, l'imagination les poètes...

Ainsi la mémoire n'est donc qu'un enchaînement fidèle de sensations qui se réveillent successivement comme elles ont été reçues. Propriété de l'organe.

Ainsi l'imagination n'est donc qu'un enchaînement fidèle de sensations qui se réveillent dans l'organe. » [50]

Plus nécessaire, mais plus terne, la mémoire reproduit l'objet de la sensation, elle est *un copiste fidèle*. L'imagination est *un coloriste ;* comme le peintre, elle travaille à l'aide d'éléments visuels et ajoute aux objets la dimension de la couleur. Yvon Belaval établit la différence suivante entre ces deux opérations de l'âme : « La mémoire distinguant les idées simplifiées par le langage, est du côté de l'analyse, tandis que l'imagination est du côté de la synthèse : l'une sépare, l'autre unit : l'une reproduit, l'autre crée » [51]. Certes, mais Diderot ne sépare pas toujours aussi nettement la mémoire de l'imagination qu'il ne le fait dans les *Eléments de physiologie*. Souvent il les associe et propose de l'imagination des définitions qui la rapprochent de la mémoire. « L'imagination est la faculté de se rappeler des images » [52]. Tantôt elle est, dans la *Lettre sur les aveugles*, « la faculté de se rappeler et de combiner des points visibles ou colorés », tantôt, dans *Le Rêve de d'Alembert*, « la mémoire des formes et des couleurs ». La propriété la plus constante de l'imagination est d'animer les objets par la couleur. Puisqu'elle dépend essentiellement du sens de la vue, elle peut être considérée comme *l'œil intérieur*, la vision colorée des choses, des êtres et des idées.

Diderot attribue une triple fonction à l'imagination : représenter les choses absentes, ainsi que l'avait observé Condillac, extraire des corps les figures et les métaphores nécessaires à tout langage et incarner les signes abstraits de la pensée. « C'est la faculté de se peindre les objets absents comme s'ils étaient présents. C'est la faculté d'emprunter des objets sensibles des images qui servent de comparaison. C'est la faculté d'attacher à un mot abstrait un corps » [53]. Mais quel que soit son pouvoir, l'imagination ne l'emporte pas en richesse et en diversité sur la nature ; elle la transforme et l'altère, elle peut l'agrandir, l'exagérer ou l'idéaliser, mais elle ne peut ni la vaincre, ni la surpasser. La nature limite le champ de l'imagination par l'inépuisable fécondité de son invention. « La nature est si variée, surtout dans les instincts et les caractères, qu'il n'y a rien de si bizarre dans l'imagination d'un poète dont l'expérience et l'observation ne vous offrissent le modèle dans la nature »[54]. L'imagination ne crée pas véritablement, mais saisit des rapports, des analogies, opère des rapprochements et des combinaisons, exprime les ressemblances ou les oppositions ; elle exécute en un mot *à l'imitation de la nature*. Cette imitation, qu'elle soit fidèle ou lointaine, régit les mouvements de l'imagination. « Les êtres purement imaginaires (inventés par la fantaisie de l'artiste)... sont, à la vérité, formés d'après les rapports que nous voyons observés dans les êtres réels »[55]. Et le médecin Bordeu définit en ces termes l'invention poétique dans *Suite de l'entretien :* « L'art de créer des êtres qui ne sont pas, à l'imitation de ceux qui sont, est de la vraie poésie ». L'imaginaire est ainsi conditionné par le réel ; le modèle intérieur que le poète ou l'artiste imagine ne se confond pas avec le modèle extérieur, mais il s'en inspire et ne s'en détache jamais complètement.

Si la dose innée d'imagination varie selon le tempérament individuel, elle varie également selon la nature des activités créatrices. Par exemple l'imagination est utile aux philosophes et aux savants à condition qu'ils la dominent et la gouvernent par le jugement. Au contraire, elle est plus indispensable au travail de l'artiste et du poète. Bordeu distingue dans *Le Rêve de d'Alembert* les sages et les philosophes des « gens à imagination ». Les premiers se caractérisent par l'équilibre et l'harmonie de leurs facultés, tandis que les seconds, parmi lesquels il compte les poètes, les artistes, les enthousiastes et les fous, ne disposent pas d'un système aussi cohérent et solidement organisé. L'imagination établit des correspondances, permet d'élaborer des hypothèses et des conjectures, de saisir intuitivement certaines vérités, mais elle a des fougues et des emportements dont le philosophe doit se garder. Elle engendre des monstres, des fantômes extra-naturels et indignes de retenir l'attention du savant. « Tout le délire de cette faculté se réduit au talent de ces charlatans qui, de plusieurs animaux dépecés, en composent un bizarre qu'on n'a jamais vu en nature »[56]. L'imagination qui n'est pas surveillée par la réflexion devient pour le philosophe une puissance trompeuse et mensongère. « L'imagination qui égare le philosophe ne lui fait faire que des erreurs », dit l'article *génie*. L'imagination promet aux hommes un bonheur fictif, illusoire, elle altère la vérité, compromet le cheminement de la raison et trouble la lucidité de l'esprit.

« L'imagination est la source du bonheur qui n'est pas et le poison du bonheur qui suit. C'est une faculté qui exagère et qui trompe... Comment l'imagination dérange la marche réglée de la raison ? C'est qu'elle ressuscite dans l'homme les voix, les sons, tous les accidents de la nature, les images qui deviennent autant d'occasions de s'égarer... L'imagination est l'image de l'enfance que tout attire sans règle. »[57]

Dépendante des objets de la nature et des impulsions du sentiment, elle détache les idées abstraites de leur pureté conceptuelle pour les incarner. Elle produit des combinaisons incertaines qui ne sauraient satisfaire aux exigences de la raison. Elle s'exalte de ses propres inventions au point de confondre la vérité et la beauté.

« Dans l'homme que l'imagination domine, les idées se lient par les circonstances et par le sentiment ; il ne voit souvent des idées abstraites que dans leur rapport avec les idées sensibles. Il donne aux abstractions une existence indépendante de l'esprit qui les a faites ; il réalise ses fantômes, son enthousiasme augmente au spectacle de ses créations, c'est-à-dire de ses nouvelles combinaisons, seules créations de l'homme ; emporté par la foule de ses pensées, livré à la facilité de les combiner, forcé de produire, il trouve mille preuves spécieuses, et ne peut s'assurer d'une seule ; il construit des édifices hardis que la raison n'oserait habiter, et qui lui plaisent par leurs proportions et non par leur solidité ; il admire ses systèmes comme il admirerait le plan d'un poème et il les adopte comme beaux, en croyant les aimer comme vrais. »

Ce paragraphe, extrait de l'article *génie* dans l'*Encyclopédie*, exprime le point de vue du philosophe, soucieux de prévenir les écarts et les erreurs de l'imagination. La réflexion philosophique implique la prédominance du jugement sur l'imagination, elle traduit ses découvertes à l'aide du langage et des signes. Mais l'artiste et le poète, attachés à la représentation plastique ou verbale de la nature, ne peuvent se passer du concours de l'imagination. Le jugement et l'imagination, distincts par leur fonction, se complètent dans le génie humain. Le premier, plus proprement philosophique, établit des confrontations, il analyse et dissocie, tandis que la seconde exprime les analogies et recherche la synthèse. Toutefois Diderot refuse à l'imagination la puissance créatrice, il ne consent à voir en elle que la faculté du changement et de la métamorphose.

« L'imagination et le jugement sont deux qualités communes et presque opposées. L'imagination ne crée rien, elle imite, elle compose, combine, exagère, agrandit, rapetisse. Elle s'occupe sans cesse de ressemblances. Le jugement observe, compare, et ne cherche que des différences. Le jugement est la qualité dominante du philosophe ; l'imagination, la qualité dominante du poète. » [58]

Elle est tout aussi nécessaire à l'artiste. Le peintre observe la nature et invente de nouvelles combinaisons avant de se mettre au travail. « Combien de choses l'artiste doit avoir vues, combinées, agencées dans son imagination, avant que de passer le pouce dans sa palette, et cela sous peine de peindre et de repeindre sans cesse ! » [59]. Le peintre doit exercer ses facultés d'observation qui contribuent à alimenter son imagination ; tel Joseph Vernet, il doit posséder « une imagination féconde, aidée d'une étude profonde de la nature ». Ces deux qualités complémentaires déterminent le travail de la création artistique. Le peintre fait passer le modèle dans son imagination, il le transforme et l'intériorise avant de le fixer sur la toile. L'imagination aiguise le plaisir esthétique tant chez l'artiste que chez le spectateur ; elle facilite l'intelligence des œuvres, signifie le caractère hiéroglyphique de l'art en déchiffrant le sens des emblèmes et des symboles. Ainsi Diderot a modelé et discipliné son imagination par la contemplation assidue des œuvres d'art. « Cela vient apparemment de ce que mon imagination s'est assujettie de longue main aux véritables règles de l'art, à force d'en regarder les productions ; que j'ai pris l'habitude d'arranger mes figures dans ma tête, comme si elles étaient sur la toile »[60]. La critique d'art lui a enseigné à disposer et à organiser les images de son esprit selon un mode plastique.

Plus encore que le peintre, le poète imagine, il est de tous les créateurs celui qui participe le plus totalement aux chimères de son imagination. « Un poète est un homme d'une imagination forte, qui s'attendrit, qui s'effraye lui-même des fantômes qu'il se fait »[61]. On ne saurait dissocier la poésie — en tant qu'elle « veut quelque chose d'énorme, de barbare et de sauvage » — de l'échauffement spontané qui stimule l'imagination à évoquer les spectacles violents et à exprimer les révélations de l'inconnu. Pourtant le génie poétique n'est pas défini par les seuls emportements de l'imagination. Celle-ci invente la couleur et l'expression, elle communique le mouvement, mais, privée du support de la raison, elle ne produit que d'incohérentes chimères.

« L'expression exige une imagination forte, une verve brûlante, l'art de susciter des fantômes, de les animer, de les agrandir ; l'ordonnance, en poésie ainsi qu'en peinture, suppose un certain tempérament de jugement et de verve, de chaleur et de sagesse, d'ivresse et de sang-froid, dont les exemples ne sont pas communs en nature. Sans cette balance rigoureuse, selon que l'enthousiasme ou la raison prédomine, l'artiste est extravagant ou froid. »[62]

Le génie, tant poétique que plastique, est fait d'un équilibre rare entre les facultés de l'invention et du jugement. L'imagination, nécessaire au poète et à l'artiste, doit s'imposer certaines limites, c'est-à-dire ne pas dépasser la capacité d'imaginer du lecteur ou du spectateur. Si elle ne tient pas compte d'une telle contingence, elle se détache de la réalité et se soustrait au pouvoir du jugement. « Je dirai donc aux poètes : Ma tête, mon imagination ne peuvent embrasser qu'une certaine étendue, au-delà de laquelle l'objet se déforme et m'échappe »[63]. Les idées de Diderot sur le rôle de l'imagination sont à la fois originales et plus traditionnelles qu'on ne le penserait à première vue. Elles révèlent un penchant à tempérer les audaces de l'imagination ou tout au moins une espèce de crainte raisonnable d'assumer les risques auxquels elle expose l'âme humaine. Ces prudences mettent en lumière l'expérience singulièrement hardie de Jean-Jacques Rousseau qui sera le premier à s'aventurer à corps perdu dans les territoires lointains et périlleux de l'imaginaire.

CHAPITRE III

Ambiguïté de l'imagination

Le monde imaginaire est infini.
J.-J. ROUSSEAU

Le cancérien qui s'absorbe volontiers dans la contemplation des eaux originelles où il souhaite retrouver les reflets de son enfance perdue et l'image de la Mère éternelle — la grande Isis tenant le corps ensanglanté de son enfant — est prédestiné à éprouver les charmes et les tourments de l'imagination. Enclin à la nonchalance, à la passivité, souvent inadapté aux exigences de la vie sociale, il préfère la solitude et la contemplation à l'engagement. « La vie contemplative dégoûte de l'action »[1]. Au travail de la réflexion et à la fatigue de la pensée il préfère le vagabondage de la rêverie, le mouvement imprévu des songes, les délices de la chimère et de la fiction, propres à satisfaire les penchants de sa sensibilité. « La rêverie me délasse et m'amuse, la réflexion me fatigue et m'attriste ; penser fut toujours pour moi une occupation pénible et sans charme »[2]. Chez le cancérien, gouverné par le principe féminin, la sensibilité l'emporte sur la raison et le moi intime prévaut sur la personne sociale ; de même l'univers intérieur, subjectif tend à supplanter la réalité extérieure et objective. Le cancérien recherche l'amitié silencieuse des eaux et des forêts, il est attaché à la vie rustique et sensible à la nature en qui il reconnaît l'effigie protectrice de la Mère. « Je m'écriais parfois avec attendrissement : ô nature ! ô ma mère ! me voici sous ta seule garde »[3]. Tempérament romanesque et passionné, il est, malgré son inclination au *far niente*, épris d'absolu, emporté par le feu de son imagination. Il se plaît à construire des châteaux en Espagne, à créer des êtres fictifs ou à imaginer des desseins chimériques. Il est sollicité par un ailleurs, un au-delà qui transcende l'imperfection du monde. C'est bien au signe du Cancer qu'appartient Jean-Jacques, sans cesse partagé entre les dédommagements et les inquiétudes de l'imagination, le premier appelé, dans la littérature française, à vivre l'aventure de l'imaginaire dans son âme et dans sa chair. Rousseau n'a pas seulement ressenti l'ambiguïté de l'imagination, il l'a étudiée et approfondie tout au long d'une douloureuse introspection qui fait le prix de son témoignage. Plusieurs écrivains ont pris conscience du drame intérieur de l'imagination, mais Rousseau l'a vécu et exprimé avec une rare intensité, dans un violent contraste de ténèbres et de clarté.

Jean-Jacques Rousseau a véritablement révélé la fonction ambivalente de l'imagination. Il n'a guère été préoccupé, comme la plupart de ses prédécesseurs, de savoir si elle engendrait l'erreur ou participait à la recherche de la vérité. Il s'est plutôt attaché à l'idée et au sentiment qu'elle est de nature ambiguë, c'est-à-dire susceptible de produire le bien ou le mal, d'apporter le bonheur ou le malheur, de dispenser tour à tour félicité et angoisse, joies et tourments. Elle est simultanément une *faculté consolatrice*, heureuse, compensatrice des misères de ce monde et une puissance maléfique, *effarouchée* qui suscite le trouble ou le délire dans l'âme humaine.

« Enfin tel est en nous l'empire de l'imagination et telle en est l'influence, que d'elle naissent non seulement les vertus et les vices, mais les biens et les maux de la vie humaine, et que c'est principalement la manière dont on s'y livre qui rend les hommes bons ou méchants, heureux ou malheureux ici-bas. » [4]

Selon la formule de Georges May, l'imagination est *magie blanche* ou *magie noire* [5], soit qu'elle se soustraie naturellement aux obstacles du réel et procure les instants privilégiés de l'extase, soit qu'elle déclenche les forces démoniaques, ténébreuses qui offusquent et égarent le cœur humain. Elle élève et délivre d'une part, elle inquiète et asservit de l'autre. Cette fatale ambiguïté de l'imagination n'a pas toujours existé ; elle résulte de l'établissement de la société et des progrès funestes de la civilisation.

Le primitif, de même que l'enfant, n'est pourvu que d'une

imagination passive, demeurant à l'état virtuel. Livré à l'instinct, il s'identifie avec les sensations qui l'affectent, il éprouve des passions élémentaires : le sentiment de son existence et le souci de la conservation de son être. Il ignore le langage magique et séducteur de l'imagination tel qu'il s'exprime dans la passion amoureuse. Le sauvage vit dans un éternel présent ; il peut assouvir immédiatement ses besoins et ses désirs limités de manière que son imagination ne le tourmente point ; celle-ci, statique et assoupie, n'est pas stimulée par quelque vide à combler ou par quelque insuffisance à compenser.

« Son imagination ne lui peint rien ; son cœur ne lui demande rien. Ses modiques besoins se trouvent si aisément sous sa main, et il est si loin du degré de connaissances nécessaire pour désirer d'en acquérir de plus grandes, qu'il ne peut avoir ni prévoyance ni curiosité. »

Ou encore :

« L'imagination, qui fait tant de ravages parmi nous, ne parle point à des cœurs sauvages ; chacun attend paisiblement l'impulsion de la nature, s'y livre sans choix, avec plus de plaisir que de fureur ; et, le besoin satisfait, tout le désir est éteint. » [6]

Au contraire, dans l'état social les désirs s'accroissent et se multiplient ; l'imagination s'anime et se déploie, elle s'échauffe, se dérègle parce qu'elle mesure toute la distance qui sépare le désir de la satisfaction. Si le naturel et le surnaturel, le réel et l'imaginaire se correspondent au point de se confondre dans l'esprit du primitif, ils sont profondément dissociés dans le monde civilisé. Cette rupture est l'une des causes majeures de l'ambiguïté de l'imagination qui a perdu son équilibre originel, s'est abandonnée à ses mouvements propres, orientés tant vers le beau et le bien que vers le mal. Chez le primitif et l'enfant les *facultés virtuelles* — l'imagination, la mémoire, le jugement — sont en harmonie avec les désirs et les appétits sensibles, tandis que dans l'état social elles deviennent actives, contradictoires, elles ne s'accordent plus avec les désirs. « Tout désir suppose privation, et toutes les privations qu'on sent sont pénibles ; c'est donc dans la disproportion de nos désirs et de nos facultés que consiste notre misère. Un être sensible dont les facultés égaleraient les désirs serait un être absolument heureux »[7]. C'est ce déséquilibre intérieur, provoqué par le développement des facultés et l'essor de la civilisation, qui détermine le malheur de la condition sociale de l'homme.

On peut observer dans l'âme de l'enfant le même passage de l'imagination passive à l'imagination active. La connaissance, purement affective et sensible, est d'abord marquée par la prédominance de la sensation. L'enfant éprouve à l'origine des *sensations affectives* distinguant le plaisir de la douleur, puis plus tard des *sensations représentatives* qui établissent l'existence des objets extérieurs. La mémoire et l'imagination demeurent oisives, dominées par l'activité des sens.

« Dans le commencement de la vie, où la mémoire et l'imagination sont encore inactives, l'enfant n'est attentif qu'à ce qui affecte actuellement ses sens ; ses sensations étant les premiers matériaux de ses connaissances, les lui offrir dans un ordre convenable, c'est préparer sa mémoire à les fournir un jour dans le même ordre à son entendement ; mais, comme il n'est attentif qu'à ses sensations, il suffit d'abord de lui montrer bien distinctement la liaison de ces mêmes sensations avec les objets qui les causent. »[8]

L'enfant s'abandonne à la sensation présente, ne s'inquiète ni de son passé, ni de son avenir, puisque la mémoire et l'imagination n'ont en lui qu'une existence virtuelle. Comme le primitif, il est absorbé par le présent et incapable de décomposer la durée en moments successifs. « Son imagination encore endormie ne sait point étendre son être sur deux temps différents »[9]. Tout le savoir de l'enfant, contenu dans le pouvoir de la sensation, consiste à se représenter, non des idées, mais des images des choses. La sensation subit et enregistre, elle est affectée par les objets qu'elle figure isolément « tels qu'ils sont dans la nature » ; elle a donc un caractère passif. Le jugement au contraire est une faculté active ; il compare les objets, établit entre eux des relations fondées sur les principes de l'analogie ou de la différence. Mais l'enfant qui ignore les subtilités de la réflexion se borne à sentir et à reproduire des images dans son esprit.

« Avant l'âge de raison l'enfant ne reçoit pas des idées, mais des images ; et il y a cette différence entre les unes et les autres, que les images ne sont que des peintures absolues des objets sensibles, et que les idées sont des notions des objets, déterminées par des rapports. Une image peut être seule dans l'esprit qui se la représente ; mais toute idée en suppose d'autres. Quand on imagine, on ne fait que voir ; quand on conçoit, on compare. Nos sensations sont purement passives, au lieu que nos perceptions ou idées naissent d'un principe actif qui juge. » [10]

Selon les principes de la philosophie sensualiste, Rousseau se refuse à distinguer l'image de la sensation. Bien que l'image se sépare de l'objet et qu'elle soit infidèle au modèle qu'elle imite, elle s'identifie avec la sensation. Elle n'est point encore considérée comme une création autonome de l'imagination, une réalité indépendante de la matière dont elle s'inspire. Toutefois la sensation imagée ou représentative qui détermine le savoir de l'enfant et du primitif ne comble plus l'âme du jeune civilisé. Les facultés virtuelles, d'abord la mémoire et l'imagination, puis la raison, s'animent à leur tour, deviennent dynamiques, volitives. Aussitôt qu'elles se manifestent, l'imagination, la plus prompte et la plus mobile, tend à l'emporter sur les autres. Dès qu'elle exerce son activité, elle révèle simultanément sa force d'expansion et son ambiguïté morale en élargissant le champ du possible. « Sitôt que ses facultés virtuelles se mettent en action, l'imagination, la plus active de toutes, s'éveille et les devance. C'est l'imagination qui étend pour nous la mesure des possibles, soit en bien, soit en mal, et qui, par conséquent, excite et nourrit les désirs par l'espoir de les satisfaire » [11]. Dans le développement des facultés l'imagination occupe une place intermédiaire et centrale ; elle s'éveille plus tardivement que la sensation et la sensibilité, mais précède en revanche le jugement et la réflexion. L'enfant se représente des images, le jeune homme imagine plus qu'il ne pense et l'être doué de raison continue à imaginer tout au long de son existence. Il n'y a rien de surprenant à cela, puisque l'imagination est de toutes les facultés sensibles et mentales la plus active, la plus ardente, la plus propre à tenir en échec les prétentions de la raison.

L'imagination se caractérise par sa vivacité, sa promptitude, elle est plus souple et plus mobile que la réalité. En 1733 Jean-Jacques écrivait à Madame de Warens : « L'imagination court bien vite, tandis que la réalité ne la suit pas toujours » [12]. De nature ondoyante, elle est affectée par la nouveauté et le changement, par les effets de surprise et les spectacles inattendus. Active et prodigue, « toujours industrieuse et dépensière » [13], elle se meut spontanément, se refuse à toute permanence et à toute stabilité. Aussi se distingue-t-elle de la mémoire et ne connaît-elle pas de plus redoutable adversaire que l'habitude attentive à réduire ses écarts et à contrarier ses effets. « En toute chose l'habitude tue l'imagination ; il n'y a que les objets nouveaux qui la réveillent. Dans ceux que l'on voit tous les jours, ce n'est plus l'imagination qui agit, c'est la mémoire ; ... car ce n'est qu'au feu de l'imagination que les passions s'allument » [14]. L'imagination est la faculté du mouvement qui communique au sentiment sa chaleur et attise le feu de la passion. Elle s'oppose à la froideur de la raison, à l'esprit de méthode qui se méfie des transports. Elle est, par sa puissance et son immédiateté, cette *reine des facultés* dont parle Baudelaire. « Comme la raison nue a peu de force, l'intérêt seul n'en a pas tant qu'on croit. L'imagination seule est active... Et l'on n'excite les passions que par l'imagination » [15]. La fougue de l'imagination produit à l'intérieur de l'être un échauffement, elle suscite les émotions violentes, les emportements de l'amour et stimule l'inspiration du poète ou de l'artiste, car elle « porte tout à l'extrême », ainsi que l'observe Claire dans *La Nouvelle Héloïse*. L'imagination est métamorphose, tour à tour elle déforme, grossit, embellit les objets ou les spectacles qui se présentent à elle. Ce phénomène est particulièrement sensible chez un être tel que Jean-Jacques « dont l'imagination s'allume aisément » [16]. Tout est prétexte à enflammer son imagination : la beauté d'un visage ou les formes fascinantes du corps féminin, une scène observée dans la rue ou dans la nature, la transparence des eaux et le tumulte des cascades, l'éclat d'une fleur et la profusion sauvage des forêts. L'imagination de Jean-Jacques est irradiante ; elle ne brûle pas seulement d'un feu intérieur, mais propage ce feu alentour. Une fois ébranlée, elle domine les autres facultés, les gouverne à tel point qu'il devient difficile de réprimer ses mouvements et de modérer ses emportements. Elle s'insinue partout, comble les vides, remédie aux absences et supplée aux imperfections du réel. Aussitôt qu'elle intervient, l'imagination s'empare despotiquement du moi, échauffe les sens et éveille le désir en le prolongeant « plus loin que la possibilité de le satisfaire ». Dans le mémoire qu'il adressa en 1740 à M. de Sainte Marie à propos de l'éducation de son fils, Rousseau prouve qu'il avait déjà conscience du pouvoir illimité de l'imagination, capable d'exciter ces désirs immodérés qui engendrent l'inquiétude.

> « De là, son imagination part et revient lui peindre des objets qui s'augmentent et s'embellissent par le loisir et la liberté de les grossir et de les combiner, sans que rien lui fasse voir combien il s'éloigne de la vérité. Le cœur se mêle bientôt à ces imaginations : il forme des désirs ; ces désirs l'échauffent loin de l'épuiser : car le désir est le seul sentiment que la durée n'affaiblit point. De là naissent l'inquiétude, la mélancolie, les regrets mêmes, et peut-être enfin le désespoir, si la retraite durait toujours et que l'imagination fût trop vive. » [17]

Ce fragment, emprunté à l'un des plus anciens textes de Rousseau, dénonce la nature ambiguë de l'imagination, sa force d'expansion qui menace de compromettre ou de troubler l'harmonie intérieure de l'âme.

Si le réel est déterminé par ses frontières, au contraire l'imaginaire est liberté, territoire affranchi de toute limite, infini dans le temps et dans l'espace. « Le monde réel a ses bornes, le monde imaginaire est infini » [18]. L'imagination dont le naturel est impatient aime à vaincre les entraves, à franchir les obstacles, à renverser les barrières que lui oppose la raison pour pratiquer de larges brèches ouvertes sur l'infini. Pressée d'abattre les murs de la prison qui l'enferme, elle peut prendre à son compte le vers de Baudelaire :

Je ne vois qu'infini par toutes les fenêtres.

L'imagination est naturellement portée à s'épandre, à se dilater ; elle est, selon l'expression de Th. Ribot, *diffluente*, prête à céder aux mouvements d'accroissement et d'expansion. Elle se déplace d'un milieu dans un autre, passe d'un état à son contraire, au mépris du réel et de ses servitudes. L'imagination de Rousseau transcende le monde de l'histoire de même que les contraintes de la société.

« Ayant une imagination assez riche pour orner de ses chimères tous les états, assez puissante pour me transporter, pour ainsi dire, à mon gré de l'un à l'autre, il m'importait peu dans lequel je fusse en effet. Il ne pouvait y avoir si loin du lieu où j'étais au premier château en Espagne, qu'il ne me fût aisé de m'y établir. » [19]

L'imagination dépasse les notions traditionnelles du temps et de l'espace. Elle s'évade du présent pour revenir au passé ou plus souvent pour anticiper sur l'avenir ; elle se définit comme « le pouvoir de vivre par l'esprit en avant ou en arrière, de perpétuellement sortir du présent » [20]. Ou bien elle rompt la continuité des temps pour les rassembler et les ramener à un seul. « Elle réunit en un point des temps qui doivent se succéder », précise Jean-Jacques au livre II de l'*Emile*. Mais l'imagination de Rousseau satisfait mieux dans l'espace que dans le temps son besoin d'expansion. Elle cherche à agrandir l'espace de façon à lui communiquer la dimension de l'infini. Elle n'accroît pas seulement l'étendue, mais favorise le déploiement et la dilatation extrême du moi. « L'imagination est le pouvoir qu'a l'homme d'ajouter à ses propres dimensions une sorte d'étendue supplémentaire », écrit Pierre Burgelin [21]. Impatiente de briser les frontières du réel et de sortir des limites du monde, l'imagination se détache des entraves de la pensée rationnelle et s'élève jusqu'à l'extase qui lui fait concevoir la totalité de Dieu. Aucun texte de Rousseau n'est à ce propos plus admirable et significatif que ce fragment de la troisième lettre à M. de Malesherbes :

« Bientôt de la surface de la terre j'élevais mes idées à tous les êtres de la nature, au système universel des choses, à l'être incompréhensible qui embrasse tout. Alors l'esprit perdu dans cette immensité, je ne pensais pas, je ne raisonnais pas, je ne philosophais pas ; je me sentais avec une sorte de volupté accablé du poids de cet univers, je me livrais avec ravissement à la confusion de ces grandes idées, j'aimais à me perdre en imagination dans l'espace, mon cœur resserré dans les bornes des êtres s'y trouvait trop à l'étroit, j'étouffais dans l'univers, j'aurais voulu m'élancer dans l'infini. » [22]

Plusieurs passages du *Deuxième Dialogue* évoquent cette expansion du moi qui, grâce au pouvoir créateur de l'imagination, se libère des limites du monde et se compose un univers fictif où il s'épanouit librement. « Il n'y a point d'attrait plus séducteur que celui des fictions d'un cœur aimant et tendre qui dans l'univers qu'il se crée à son gré, se dilate, s'étend à son aise délivré des dures entraves qui le compriment dans celui-ci » [23]. L'objet imaginé, façonné par la violence du désir, devient réalité en dépit des obstacles qui s'opposent à son accomplissement ; plus que cela, il revêt une perfection inconnue au niveau de l'univers sensible.

« A force de s'occuper de l'objet qu'il convoite, à force d'y tendre par ses désirs, sa bienfaisante imagination arrive au terme en sautant par-dessus les obstacles qui l'arrêtent ou l'effarouchent. Elle fait plus ; écartant de l'objet tout ce qu'il a d'étranger à sa convoitise, elle ne le lui présente qu'approprié de tout point à son désir. » [24]

L'imagination spatiale de Rousseau n'est pas seulement libératrice, mais créatrice. Elle se représente des scènes, des êtres et des objets supérieurs à ceux qu'offre la réalité ; elle invente des mondes fictifs, des sphères supraterrestres qui compensent la médiocrité de l'existence sociale : le pays des chimères — retraite idéale de l'amour — le monde enchanté des *Dialogues*, quelque empyrée magique, un nouvel âge d'or ou le royaume des âmes immortelles à jamais délivrées des chaînes du corps.

Jean-Jacques se sent « l'imagination pleine de types de vertus, de beautés, de perfections de toute espèce » [25]. L'imagination est en l'homme la seule faculté susceptible de transcender le visible et de l'élever à la vision du surnaturel, vision nécessairement subjective et indépendante de l'entendement. Elle recèle le pouvoir de s'aventurer au-delà du réel pour affronter les mystères de la création et les révélations inaccessibles de l'Infini. « Des mystères impénétrables nous environnent de toutes parts ; ils sont au-dessus de la région sensible : pour les percer nous croyons avoir de l'intelligence, et nous n'avons que de l'imagination. Chacun se fraye, à travers ce monde imaginaire, une route qu'il croit la bonne ; nul ne peut savoir si la sienne mène au but » [26]. La route est périlleuse et ne s'ouvre pas toujours sur la vérité. L'imagination seule parvient à concevoir Dieu, mais il lui arrive de défigurer « la sublime et primitive idée de la Divinité ». C'est le risque qu'elle court en cherchant à pénétrer l'invisible. Quoi qu'il en soit, elle dépasse infiniment les moyens de l'intelligence et possède la vertu de se représenter le surnaturel, de pénétrer au cœur du mystère et du sacré.

Quels sont les rapports que cette faculté despotique entretient avec les sens, le cœur et la mémoire ? Bien qu'elle les domine par son intensité, elle n'en est pas détachée ; elle participe à leur activité et les utilise, tout en conservant son autonomie. Elle est associée aux deux formes de la sensibilité que Rousseau distingue dans le *Deuxième Dialogue :* la *sensibilité physique* ou sensation qui, en tant que faculté passive, assure la conservation de l'être et la *sensibilité morale*, active, ou sentiment qui éprouve les affections intérieures et communique avec autrui. Quoique réceptive, la sensibilité physique joue un rôle déterminant comme instrument de connaissance. Fenêtres ouvertes sur le monde, les sens occasionnent la naissance des images et des idées. Rousseau qui « dépend beaucoup de ses sens » est préoccupé par les modifications produites par les organes sur les sentiments et les idées, la mémoire et l'imagination, comme en témoigne le projet de *La Morale sensitive.* Il admet pourtant que l'imagination, chez l'homme social, l'emporte sur les sens et les gouverne. C'est elle qui les allume et les réprime, les anime et les contrôle. « Comme je l'ai dit mille fois, c'est par la seule imagination que s'éveillent les sens » [27]. Dans la *Lettre à d'Alembert sur les spectacles* Rousseau est encore plus formel : « Le pouvoir immédiat des sens est faible et borné : c'est par l'entremise de l'imagination qu'ils font leurs plus grands ravages ; c'est elle qui prend soin d'irriter les désirs, en prêtant à leurs objets encore plus d'attraits que ne leur en donna la nature ». Mais Rousseau nuance parfois davantage sa pensée. De même qu'il distingue les langues du Midi de celles du Nord, il établit une différence entre le tempérament des climats chauds et celui des climats froids. Chez le méridional « les sens éveillent l'imagination », tandis que « l'imagination éveille les sens » de l'homme du Nord [28]. Peut-être est-il plus juste d'affirmer que les sens et l'imagination s'influencent réciproquement. Chacun des sens parle à l'imagination un langage différent et d'une intensité variable : le goût par exemple ne lui suggère rien, alors que l'odorat est le sens qui excite le plus vigoureusement l'expansion imaginative. « Les odeurs par elles-mêmes sont des sensations faibles ; elles ébranlent plus l'imagination que le sens, et n'affectent pas tant par ce qu'elles donnent que parce qu'elles font attendre » [29]. Quant à la vue, le plus étendu et le plus intellectuel des sens, elle rivalise avec l'imagination. L'observation d'un objet, continue ou réitérée, affaiblit le pouvoir de l'imagination. « Ce qu'on voit trop on ne l'imagine plus ». Cet axiome de l'*Emile* se trouve complété par cet autre, formulé dans la *Lettre à d'Alembert :* « En voyant moins on imagine davantage ». Lorsque la sensation est ténue, l'imagination se substitue aisément à elle, tandis qu'une sensation forte en limite la puissance. Aussi les sensations auditives et olfactives, moins violentes que les autres, sont-elles plus suggestives, plus propres à stimuler l'imagination. De même la musique touche davantage l'imagination que les arts plastiques, car elle représente les objets d'une manière allusive, au lieu que la peinture impose une vision directe et spatiale.

La sensibilité morale, plus active que la sensibilité physique, affecte l'imagination et l'anime intérieurement ; elle peut aussi la modérer, en tempérer les impulsions. Elle engendre les passions, de même qu'elle maîtrise les élans de l'imagination toujours portée à détourner les passions de leur voie primitive.

« Il faut que le sentiment enchaîne l'imagination... La source de toutes les passions est la sensibilité, l'imagination détermine leur pente. Tout être qui sent ses rapports doit être affecté quand ces rapports s'altèrent et qu'il en imagine ou qu'il en croit imaginer de plus convenables à sa nature. Ce sont les erreurs de l'imagination qui transforment en vices les passions de tous les êtres bornés, même des anges, s'ils en ont. » [30]

Si le sentiment sert de régulateur aux écarts de l'imagination, il ne peut pourtant se fixer sur quelque objet sans le concours de celle-ci. C'est l'imagination qui saisit véritablement l'existence du prochain et permet de participer à la vie d'autrui ; sans elle, l'amitié, la cristallisation amoureuse, la sympathie et la pitié seraient impossibles. « Le cœur ne s'attache que par l'entremise des sens ou de l'imagination qui les représente » [31]. La sensibilité morale, de même que la sensibilité physique, alimente la mémoire et l'imagination ; elle leur communique l'impulsion première en les reliant aux objets, aux formes visibles de la nature par des attaches fines, subtiles et indissolubles. La sensation et le sentiment demeurent le principe de la connaissance.

Contrairement à Diderot, Rousseau distingue clairement l'imagination de la mémoire. Ces deux facultés obéissent la plupart du temps à des mouvements contraires. La mémoire, associée à l'habitude, prolonge le passé dans le présent, l'imagination, éprise de nouveauté, prévoit et prévient, sollicitée qu'elle est par l'inquiétude de l'avenir. La première, optimiste, solaire, ressuscite les instants de félicité et de plénitude, orne le passé de couleurs joyeuses et perpétue les souvenirs délicieux. La seconde, plutôt nocturne, pessimiste, est hantée par l'insécurité du futur, la peur du mystère et l'épouvante des ténèbres. « Ma mémoire, qui me retrace uniquement les objets agréables, est l'heureux contrepoids de mon imagination effarouchée, qui ne me fait prévoir que de cruels avenirs »[32]. La mémoire n'enregistre pas tous les événements de la vie, mais opère un choix parmi eux et les interprète selon une vision idéalisée. L'événement et l'objet s'effacent au profit du souvenir; ils n'importent pas en eux-mêmes, mais par leur charge affective. « Comme en général les objets font moins d'impression sur moi que leurs souvenirs et que toutes mes idées sont en images, les premiers traits qui se sont gravés dans ma tête y sont demeurés »[33]. L'imagination, à son tour, interprète et transpose les données du réel, mais en les déformant, en leur imposant des altérations parfois funestes. Enfin, la mémoire fonde l'unité de l'être et le préserve de la dispersion, elle en assure la permanence au-delà du devenir et des contradictions du moi. « La mémoire étend le sentiment de l'identité sur tous les moments de son existence; il devient véritablement un, le même ». « Ce que je sais bien, c'est que l'identité du *moi* ne se prolonge que par la mémoire, et que, pour être le même en effet, il faut que je me souvienne d'avoir été »[34]. La mémoire est la faculté de la concentration intérieure, elle permet au moi de *se circonscrire*, de découvrir sa nature unique et de se nourrir de sa substance, ainsi que l'observe Georges Poulet: « L'imagination disperse, la mémoire rassemble. Elle ramène l'homme à sa concentration primitive, elle lui révèle son être essentiel »[35]. Lorsqu'il est harcelé par les tourments de son imagination, Rousseau se confine dans les cloisons de sa mémoire afin de goûter aux délices du souvenir. Il s'agit là d'une thérapeutique morale, destinée à freiner l'expansion douloureuse de l'imagination. La vision du souvenir, en concentrant les états successifs de l'être dans l'espace intérieur, remédie à l'effusion des désirs et permet à l'âme de s'absorber dans la contemplation du passé. « Mon existence n'est plus que dans ma mémoire... J'aime à tourner les yeux sur le passé, duquel je tiens désormais tout mon être », écrit Jean-Jacques dans la quatrième Lettre morale[36].

Malgré leurs divergences, la mémoire et l'imagination sont appelées à collaborer, à participer d'un même mouvement au travail de la création littéraire. Le passé et l'avenir peuvent se télescoper dans une rencontre fortuite, l'un préfigure l'autre ou une vision imaginée s'inscrit dans le champ de la mémoire. L'imagination, en suppléant aux absences et aux vides de la mémoire, joue son rôle dans la composition des *Confessions*. « Je les écrivais de mémoire ; cette mémoire me manquait souvent ou ne me fournissait que des souvenirs imparfaits et j'en remplissais les lacunes par des détails que j'imaginais en supplément de ces souvenirs, mais qui ne leur étaient jamais contraires » [37]. Ou bien la mémoire, réveillée par la présence d'*objets familiers* exerçant la fonction de *signes mémoratifs*, ranime l'imagination et l'emporte dans les limbes du passé pour qu'elle y retrouve la fraîcheur, l'ingénuité d'une sensation antérieure. « De sorte que je ne saurais me rappeler un de ces états sans sentir en même temps modifier mon imagination de la même manière que l'étaient mes sens et mon être quand je l'éprouvais » [38]. En outre l'imagination se fatigue avec les années ; elle perd de sa vigueur, de sa promptitude, renonce à devancer le futur et se plaît à revenir au passé ou à ressusciter les tableaux d'un bonheur perdu. Aux approches de la vieillesse, la mémoire et l'imagination assoupie s'accordant mieux se confondent parfois dans leurs mouvements rétrospectifs. « Mon imagination, qui dans ma jeunesse allait toujours en avant et maintenant rétrograde, compense par ces doux souvenirs l'espoir que j'ai pour jamais perdu. Je ne vois plus rien dans l'avenir qui me tente ; les seuls retours du passé peuvent me flatter » [39]. L'imagination, coupée de toute espérance et de toute possession future, se replie sur le passé. Mais n'est-ce pas elle qui colore et illumine les souvenirs, qui les imprègne d'un inoubliable parfum de poésie ? On peut alors parler, comme le fait Marcel Raymond, d'une « imagination mémoriale » [40]. L'imagination de Rousseau est *mémoriale* parce qu'elle éprouve la nostalgie de l'enfance, des temps heureux à jamais disparus et qu'elle aspire à retrouver l'instant magique de la genèse, à revivre les aubes de la création. Le paradis ou l'âge d'or ne sont pas des conquêtes promises dans le futur, mais des états antérieurs, enfouis dans le creuset de la mémoire.

*

* *

La certitude que l'imagination est ambiguë, qu'elle peut jouer un rôle funeste et engendrer des troubles intérieurs n'est pas contemporaine de la rédaction des *Confessions* et des *Dialogues*. Il s'agit chez Jean-Jacques d'une croyance constante, bien antérieure à l'éveil de son délire et à la hantise du complot dirigé contre lui. Il a toujours été persuadé que l'imagination tend à s'écarter de la vérité et à dépasser les possibilités du réel. Accrue par la tension des désirs, elle déforme et agrandit démesurément l'objet qu'elle appréhende, se coupe de la réalité et crée dans l'âme un climat d'inquiétude ou de mélancolie. Dans son Mémoire à M. de Sainte Marie Rousseau écrit : « C'est que le goût ardent des plaisirs agit d'une telle manière sur l'imagination, qu'elle reste émue même après l'effet du sentiment et prolonge ainsi le désir plus loin que la possibilité de le satisfaire, d'où je conclus que la jouissance immodérée du plaisir est pour l'avenir un principe d'inquiétude »[41]. Il ne saurait en être autrement : l'imagination n'est pas seulement une faculté bienfaisante, puisque son essor est causé par la société et favorisé par la civilisation. Elle est, dans sa redoutable puissance d'anticipation, associée au mouvement de la réflexion qui détermine le malheur de l'homme social.

« Il est né pour agir et penser, et non pour réfléchir. La réflexion ne sert qu'à le rendre malheureux sans le rendre meilleur ni plus sage : elle lui fait regretter les biens passés et l'empêche de jouir du présent : elle lui présente l'avenir heureux pour le séduire par l'imagination et le tourmenter par les désirs, et l'avenir malheureux pour le lui faire sentir d'avance. »[42]

Tant dans le *Deuxième Discours* que dans la *Lettre à d'Alembert* Rousseau parle des *ravages* que l'action dévorante de l'imagination produit dans la société. Il sent lui-même à Montmorency que son imagination commence *à se dérégler* selon un penchant naturel à exagérer les signes de son infortune. Mais il est probable que les affaires de l'Hermitage, la hantise de la maladie et l'exercice de la solitude ont contribué à *effaroucher* son imagination. « Oh ! qu'il est cruel pour un solitaire malade et triste, d'avoir une imagination déréglée » [43]. Dans la première lettre à M. de Malesherbes Rousseau tient son imagination pour responsable des maux qui le harcèlent : « L'extrême agitation que je viens d'éprouver vous a pu faire porter un jugement contraire ; mais il est facile à voir que cette agitation n'a point son principe dans ma situation actuelle mais dans une imagination déréglée prête à s'effaroucher sur tout et à porter tout à l'extrême » [44]. Le trouble et le dérèglement de l'imagination ne sont plus désormais l'objet d'une conviction théorique, ou d'une intention, mais d'une expérience intime. Rousseau est attristé par de cruels souvenirs et d'inquiétantes prévisions ; il observe autour de lui certains indices qui lui inspirent de l'angoisse, se formule à lui-même des hypothèses aberrantes ou même délirantes que son imagination transforme en certitudes. Tout en demeurant lucide, il cède « sans défense à l'inquiétude de [son] imagination effarouchée par mille indices trompeurs, qui [lui] paraissaient autant de preuves » [45]. Ni le cœur, ni la raison ne parviennent à contenir ces emportements aussi impérieux qu'une fatalité intérieure.

Rousseau ne s'est pas borné à observer les ravages causés par l'expansion imaginative, il s'est interrogé, dans son traité *De l'Education*, sur les moyens d'y remédier. Sitôt que l'imagination devient active et qu'elle exerce son ascendant sur l'âme de l'enfant, elle est rebelle à toute contrainte, s'abandonne à sa fougue et se laisse emporter par une sorte d'accélération interne. Passionnée et tyrannique, elle entre en conflit avec le réel qu'elle prétend supplanter ; elle altère les passions en les détournant de leur pente naturelle et convertit le bien en mal. Contre cette tendance de l'imagination à étendre « la mesure des possibles, soit en bien, soit en mal », il n'existe qu'un remède : *rétrécir* le champ de l'imaginaire en le réduisant aux proportions de la réalité. « Le monde réel a ses bornes, le monde imaginaire est infini ; ne pouvant élargir l'un, rétrécissons l'autre ; car c'est de leur seule différence que naissent toutes les peines qui nous rendent vraiment malheureux » [46]. Il importe de contenir, de réprimer les mouvements de l'imagination. La dilatation de l'être est pour Rousseau la source principale du malheur de l'homme. Elle implique la dispersion du moi qui perd son identité, se morcelle dans le temps et s'éparpille dans l'espace. Elle provoque une rupture entre l'exigence des désirs et leur accomplissement ; l'imagination, en se déployant à l'infini, se distance du noyau de l'être. « L'expérience de la propagation de soi par l'imagination ne peut aboutir qu'à la conscience de la distance radicale qui sépare l'âme de ce qu'elle désire, pour étendre un immense espace hostile, infranchissable, entre le centre imaginatif et les projections imaginaires de celui-ci » [47]. Le bonheur humain consiste dans le resserrement et la concentration de l'être, dans ce que Baudelaire appelle « la centralisation du Moi ». Aussi, plus que l'imagination, la mémoire rend heureux, puisque la réminiscence, hostile à la dispersion, favorise la concentration intérieure.

Mais doué d' « une âme naturellement expansive », Jean-Jacques ne s'accommode pas toujours de cette morale qu'il exprime dans *Emile*. Son esprit romanesque, sa passion de la retraite et de la chimère, son penchant à la rêverie et à la contemplation l'incitent à s'aventurer dans le monde de l'imaginaire. La lecture précoce de Plutarque, de romans épiques et pastoraux a éveillé en lui ce goût de l'utopie que l'habitation de la solitude n'a fait qu'aiguiser.

« A six ans Plutarque me tomba sous la main, à huit je le savais par cœur ; j'avais lu tous les romans, ils m'avaient fait verser des seaux de larmes, avant l'âge où le cœur prend intérêt aux romans.

De là se forma dans le mien ce goût héroïque et romanesque qui n'a fait qu'augmenter jusqu'à présent, et qui acheva de me dégoûter de tout, hors ce qui ressemblait à mes folies. » [48]

Cette précoce disposition au romanesque a été affermie par le sentiment de la fragilité du réel, par la certitude que la réalité de l'existence ne saurait satisfaire les exigences de la vie intérieure. Dans une lettre au prince de Wurtemberg (10 novembre 1763), Rousseau conclut par cette confidence révélatrice : « La comparaison de ce qui est à ce qui doit être m'a donné l'esprit romanesque et m'a toujours jeté loin de tout ce qui se fait » [49]. La tendance à substituer au monde réel un univers enchanté lui est imposée par la fièvre de son imagination. « Il est impossible aux hommes et difficile à la nature elle-même de passer en richesse mon imagination » [50]. Aucune sagesse, élaborée à froid par la raison, n'est capable d'éteindre le feu de l'imagination, ni même d'empêcher ses écarts et ses égarements, du moins chez un tempérament aussi *combustible* que Jean-Jacques.

Rousseau a subi la plupart des maux de l'imagination avec une intensité exceptionnelle : l'expansion délirante, la peur de l'avenir et de l'obscurité, la fatigue et l'usure des facultés créatrices. S'il a découvert que l'expansion dans l'espace est souvent libératrice, il a éprouvé que les anticipations dans le temps minent et consument l'être intérieurement. Pourvu d' « une imagination trop active qui exagère par-dessus l'exagération des hommes, et voit toujours plus loin que ce qu'on lui dit » [51], Rousseau se représente l'avenir sous des couleurs opaques, telles d'inextricables ténèbres. Son imagination inquiète le tourmente, *s'effarouche* à tout prétexte, invente les péripéties d'un funeste destin. En voici quelques exemples, empruntés aux *Confessions.* A propos du « mauvais état des affaires » de Madame de Warens, Jean-Jacques écrit : « Ma cruelle imagination qui va toujours au devant des malheurs me montrait celui-là sans cesse dans tout son excès et dans toutes ses suites ». A l'occasion de l'emprisonnement de Diderot au donjon de Vincennes : « Ma funeste imagination qui porte toujours le mal au pis s'effaroucha ». Ou au sujet de la publication différée de l'*Emile :* « A l'instant mon imagination part comme un éclair et me dévoile tout le mystère d'iniquité »[52]. Le silence comme les rumeurs, le mystère comme les révélations enflamment son imagination qui amplifie les événements contraires ou les indices aléatoires en leur attribuant une portée démesurée. Les malheurs vécus lui inspirent le pressentiment de malheurs imaginaires, plus douloureux et plus aigus que les réels. Dès 1765 ou peut-être depuis le décret de prise de corps, il est en proie aux « chimères d'une imagination noircie par l'adversité »[53], au sentiment de la persécution et au tourment que suscite en lui l'incertitude de l'avenir. Ici encore la mémoire s'oppose à l'imagination : alors que les empreintes du mal s'effacent presque immédiatement sur les rivages du souvenir, le regard anxieusement intuitif de l'imagination prévoit d'imminentes infortunes, invente un temps futur semé de ronces et de pièges.

« Il est étonnant avec quelle facilité j'oublie le mal passé, quelque récent qu'il puisse être. Autant sa prévoyance m'effraie et me trouble tant que je le vois dans l'avenir, autant son souvenir me revient faiblement et s'éteint sans peine, aussitôt qu'il est arrivé. Ma cruelle imagination qui se tourmente sans cesse à prévenir les maux qui ne sont point encore fait diversion à ma mémoire, et m'empêche de me rappeler ceux qui ne sont plus. Contre ce qui est fait il n'y a plus de précautions à prendre, et il est inutile de s'en occuper. J'épuise en quelque façon mon malheur d'avance ; plus j'ai souffert à le prévoir, plus j'ai de facilité à l'oublier ; tandis qu'au contraire sans cesse occupé de mon bonheur passé, je le rappelle et le rumine pour ainsi dire, au point d'en jouir derechef quand je veux. »[54]

Cette vision anticipatrice cause une angoisse constante, engendre la souffrance en dépassant la réalité présente et en se coupant de la mémoire des temps heureux. L'imagination, *effarouchée* par certains signes, compose la trame d'un complot, cherche à la dénouer, à en élucider les éléments obscurs ; elle échafaude un labyrinthe où elle s'emprisonne dans ses propres lacs. Toujours portée à conjecturer de nouveaux malheurs et à découvrir les moyens de les écarter, elle use ses forces, perd son pouvoir d'enchantement et sa sérénité.

« Mais cette même imagination si riche en tableaux riants et remplis de charmes rejette obstinément les objets de douleur et de peine, ou du moins elle ne les peint jamais si vivement que sa volonté ne les puisse effacer. L'incertitude de l'avenir et l'expérience de tant de malheurs peuvent l'effaroucher à l'excès des maux qui le menacent, en occupant son esprit des moyens de les éviter. » [55]

Seul en face d'une ligue hostile, hanté par le silence de la nuit qui le cerne, Jean-Jacques se dédouble par l'imagination, comme Baudelaire le fera dans l'*Héautontimorouménos* par le pouvoir de « la vorace Ironie » :

Je suis la plaie et le couteau !
Je suis le soufflet et la joue !
Je suis les membres et la roue,
Et la victime et le bourreau.

Rousseau juge de Jean-Jacques reste pourtant étrangement lucide dans son délire, il se dédouble consciemment et sent qu'il devient autre à travers le regard de ceux qui s'obstinent à le défigurer en altérant son identité. Ses contemporains l'ont transformé en un personnage imaginaire et fantomatique en qui il ne se reconnaît plus ; ils ont fait de lui « un être d'imagination tel qu'en peut enfanter le délire de la fièvre » [56]. Cette crainte d'être dénaturé par le jugement d'autrui, d'être mué en créature mythique, n'est pas étrangère au dessein des *Confessions* et des *Dialogues*. Il ne s'agit pas seulement pour Jean-Jacques de se justifier, mais de peindre son être réel pour l'opposer à la personne fictive que la malveillance de ses ennemis forge de toutes pièces et modifie à tout coup. « Tant qu'on ne m'a jugé que par les livres, selon l'intérêt et le goût des lecteurs, on n'a fait de moi qu'un être imaginaire et fantastique, qui changeait de face à chaque écrit que je publiais », dit le préambule primitif des *Confessions*. Les œuvres autobiographiques prétendent démasquer les apparences de l'imaginaire afin que la réalité de l'être soit manifestée au regard de la postérité. Mais dans toute œuvre littéraire, fût-ce des mémoires, l'envahissement de l'imaginaire est inévitable. La fiction remédie aux défaillances de la mémoire et introduit, « non dans les faits, mais dans les circonstances », une part de mensonge involontaire. Telle fut l'expérience de Rousseau au moment où il écrivit ses *Confessions*. « Cette espèce de mensonge fut plutôt l'effet du délire de l'imagination qu'un acte de la volonté »[57]. La fiction colore le réel, le transforme selon une pente naturelle et fatale. On ne saurait raconter sa vie sans que l'imagination intervienne pour modifier quelque circonstance ou illuminer un épisode d'une clarté subjective.

La prévoyance de l'imagination, attentive à percer les ténèbres de l'avenir qui la troublent et l'inquiètent, est en soi une revendication de clarté. Elle redoute les fantômes de l'obscurité, l'équivoque du mystère et l'opacité de la nuit. « Mon penchant naturel est d'avoir peur des ténèbres, je redoute et je hais leur air noir, le mystère m'inquiète toujours, il est par trop antipathique avec mon naturel ouvert jusqu'à l'imprudence »[58]. L'obscurité plus que tout effarouche l'imagination de Rousseau qui ne discerne dans le noir que des ombres menaçantes et des formes fantomatiques. Elle lui évoque le complot que l'on trame contre sa personne, l'enceinte de ténèbres dans laquelle ses ennemis cherchent à l'emprisonner. « J'ai toujours haï les ténèbres, elles m'inspirent naturellement une horreur que celles dont on m'environne depuis tant d'années n'ont pas dû diminuer »[59]. Cette peur nocturne, accrue par l'ébranlement de l'imagination, remonte à l'enfance, comme Rousseau le précise au deuxième livre de l'*Emile* et dans une lettre à M. de Belloy (12 mars 1770) :

« Rien ne m'épouvanta jamais au grand jour, mais tout m'effarouche dans les ténèbres qui m'environnent, et je ne vois que du noir dans l'obscurité. Jamais l'objet le plus hideux ne me fit peur dans mon enfance, mais une figure cachée sous un drap blanc me donnait des convulsions : sur ce point, comme sur beaucoup d'autres, je resterai enfant jusqu'à la mort. »[60]

Bien que *Les Rêveries* s'inscrivent dans une sphère de sérénité et d'apaisement, dus à la lassitude d'imaginer et à un détachement spirituel, l'inquiétude de la nuit n'est pas complètement dissipée. Telle circonstance, comme le bruit de sa mort après sa chute à Ménilmontant, réveille l'imagination de Jean-Jacques, toujours disposée à pressentir quelque malheur ou à discerner quelque muraille de ténèbres, hostile et infranchissable. « Ces remarques faites coup sur coup... effarouchèrent derechef mon imagination que je croyais amortie, et ces noires ténèbres qu'on renforçait sans relâche autour de moi ranimèrent toute l'horreur qu'elles m'inspirent naturellement »[61]. Même si elle se refroidit, au point de se confondre avec la réminiscence, l'imagination sort parfois de son engourdissement et ébauche de nouveaux mouvements d'expansion. Dans les dernières années de sa vie, Rousseau s'applique à contenir l'essor maléfique de son imagination, après avoir éprouvé que les maux fictifs ou présumés torturent davantage son esprit que les maux réels. En s'efforçant de borner le champ de son imagination, il se libère de « l'inquiétude de l'espérance » en même temps que de la noire appréhension de l'avenir.

> « Les maux réels ont sur moi peu de prise ; je prends aisément mon parti sur ceux que j'éprouve, mais non pas sur ceux que je crains. Mon imagination effarouchée les combine, les retourne, les étend et les augmente. Leur attente me tourmente cent fois plus que leur présence, et la menace m'est plus terrible que le coup. Sitôt qu'ils arrivent l'événement leur ôtant tout ce qu'ils avaient d'imaginaire les réduit à leur juste valeur. »[62]

A l'époque des *Rêveries* l'effort de rassemblement et de concentration est devenu plus aisé ; Rousseau sent que son imagination *s'attiédit*, qu'elle languit, s'épuise et se tarit. Elle perd peu à peu son énergie primitive et sa puissance d'expansion. Au moment où il composait *La Nouvelle Héloïse*, il se rendait déjà compte que son imagination « fatiguée à inventer voulait quelque lieu réel qui pût lui servir de point d'appui »[63]. Cette fatigue et cette usure n'ont fait que s'accroître avec la multiplication des misères physiques et morales. Mais l'imagination n'est pas seule atteinte par cet épuisement progressif ; les autres facultés, la mémoire et la pensée, subissent la même réduction de leur pouvoir. Rousseau note sur les cartes à jouer où il a tracé les ébauches de ses *Rêveries :* « Je sens déjà mon imagination se glacer, toutes mes facultés s'affaiblir ». Ce thème de l'appauvrissement de la faculté créatrice, devenue incapable d'alimenter le cœur et l'esprit de l'écrivain vieillissant, est constant dans *Les Rêveries du promeneur solitaire*. Le feu de l'imagination se consume avec les ans ; elle n'invente plus avec la même fécondité et ne s'emporte plus avec la même violence que jadis. Elle recourt plutôt au langage des *signes mémoratifs ;* elle se tourne résolument vers le passé et n'envisage plus l'avenir, sinon à travers l'espoir de l'immortalité.

> « Mon imagination déjà moins vive ne s'enflamme plus comme autrefois à la contemplation de l'objet qui l'anime, je m'enivre moins du délire de la rêverie ; il y a plus de réminiscence que de création dans ce qu'elle produit désormais, un tiède alanguissement énerve toutes mes facultés, l'esprit de vie s'éteint en moi par degrés ; mon âme ne s'élance plus qu'avec peine hors de sa caduque enveloppe, et sans l'espérance de l'état auquel j'aspire parce que je m'y sens avoir droit, je n'existerais plus que par des souvenirs. » [64]

L'imagination assoupie ne dispose plus de toute son indépendance ; elle est assujettie aux matériaux accumulés par la mémoire et aux spectacles que lui propose la nature. Elle se confine dans le réel, parce qu'il ne lui appartient plus de se dilater, de s'élancer vers l'infini comme par le passé. Rarement elle se ranime ou manifeste des velléités d'expansion, et Jean-Jacques, soucieux de préserver le fragile équilibre de son bonheur, se voit alors « forcé de contenir les restes d'une imagination riante mais languissante, que tant d'angoisses pourraient effaroucher à la fin » [65]. Privé des ressources de son imagination, il ressent davantage le poids de sa solitude, mais il est délivré des fictions mensongères et des fantômes qu'elle invente, affranchi de la prison ténébreuse dans laquelle on cherche à l'incarcérer. Il se concentre pour mieux s'absorber dans la connaissance de soi et de ses limites. Il s'abandonne au plaisir de la sensation et au sentiment de l'existence, se nourrit de *sa propre substance*, se borne à jouir de l'instant présent, coupé du souvenir et de tout effort d'anticipation. La sagesse préconisée dans *Emile* et qui consiste à rétrécir les dimensions du monde imaginaire en les ramenant à la mesure du réel, Rousseau ne l'a appliquée qu'à l'époque des *Rêveries*, c'est-à-dire au moment où il est parvenu à contenir les élans de son imagination, à réprimer les désirs d'expansion du moi dans l'espace et dans le temps. Il se méfie désormais du délire de son imagination, sollicitée par les exigences absolues et les partis extrêmes ; il préfère se vouer à la contemplation de la nature, à l'étude des choses qui sont à la portée immédiate de ses sens. L'imagination renonce à s'aventurer dans l'univers de l'infini ou de la transcendance pour se fixer dans les limites du réel, dans l'étendue restreinte des « objets environnants ».

« J'avais même à craindre dans mes rêveries que mon imagination effarouchée par mes malheurs ne tournât enfin de ce côté son activité, et que le continuel sentiment de mes peines me resserrant le cœur par degrés ne m'accablât enfin de leur poids. Dans cet état, un instinct qui m'est naturel, me faisant fuir toute idée attristante imposa silence à mon imagination et fixant mon attention sur les objets qui m'environnaient me fit pour la première fois détailler le spectacle de la nature, que je n'avais guère contemplé jusqu'alors qu'en masse et dans son ensemble. » [66]

Cette observation détaillée de la nature, favorisée par la passion de la botanique, contraint l'imagination à se circonscrire dans le réel, à se satisfaire de la présence des choses terrestres et du contact avec leur substance. « Mon imagination qui se refuse aux objets de peine laissait mes sens se livrer aux impressions légères mais douces des objets environnants » [67]. C'est en réduisant le dynamisme de son imagination que Rousseau parvient à écarter la hantise d'un avenir malheureux, à retrouver la sérénité de l'âme et à raffermir son espérance de l'éternité. Le bonheur n'est désormais ni dans la dilatation extrême de l'être, ni dans le courant insaisissable du devenir, mais dans le pouvoir de rassemblement par lequel le moi *s'enlace de lui-même* et se cristallise autour de son centre lumineux comme un soleil qui n'étendrait pas son rayonnement au-delà de sa sphère.

*

* *

De par sa nature double et ambiguë, l'imagination n'étend pas seulement la *mesure des possibles en mal*, mais aussi *en bien*, elle n'engendre pas que les passions et les vices, mais aussi les vertus ; elle apporte les apaisements, les dédommagements auxquels aspire le cœur humain ; elle est créatrice de fictions heureuses qui compensent les imperfections du monde social. Le penchant à l'utopie est inné chez Rousseau et correspond à une véritable vocation : « Puisque je suis dévoué aux chimères, je veux du moins m'en forger d'agréables »[68]. L'imagination, de même que l'aptitude à inventer des chimères, est un don que Dieu consent aux hommes pour qu'ils se frayent de nouvelles voies et se créent des plaisirs supérieurs aux possibilités du réel. Les biens fictifs l'emportent sur les biens terrestres, puisque ceux-ci tiennent leur charme de l'ornement chimérique que leur dispense l'imagination. Rousseau en était déjà persuadé en 1742 lorsqu'il écrivit *Le Nouveau Dédale :*

> « L'auteur de la nature ne s'est pas contenté de faire naître sous nos pas une foule de biens effectifs, il a permis que nous trouvassions dans la faiblesse même de notre esprit, et même dans notre imagination frivole, la source de mille autres chemins, qui pour n'être qu'en idée, n'en sont guère moins sensibles. Si toutes les chimères étaient détruites, nous perdrions avec elles une infinité de plaisirs réels. »

L'imagination, créatrice de chimères, transfigure le réel, communique aux choses une dimension spirituelle, une vertu magique qu'elles ne possèdent pas. Elle idéalise les souvenirs, embellit l'être aimé, poétise les objets de la nature en les pénétrant d'une charge affective. Rien, ni les êtres, ni les choses, ne vivrait, au sens fort du terme, sans ces ornements fictifs inventés par l'imagination.

« L'existence des êtres finis est si pauvre et si bornée que, quand nous ne voyons que ce qui est, nous ne sommes jamais émus. Ce sont les chimères qui ornent les objets réels ; et si l'imagination n'ajoute un charme à ce qui nous frappe, le stérile plaisir qu'on y prend se borne à l'organe, et laisse toujours le cœur froid. » [69]

Les objets ébranlent l'imagination, tandis que celle-ci les anime et les colore. Elle introduit l'infini dans le fini, c'est-à-dire qu'elle étend les limites de l'être à la mesure de ses désirs. Elle réalise, par une action compensatrice, les virtualités que le monde réel est impropre à accomplir.

« L'homme avide et borné, fait pour tout vouloir et peu obtenir, a reçu du ciel une force consolante qui rapproche de lui tout ce qu'il désire, qui le soumet à son imagination, qui le lui rend présent et sensible, qui le lui livre en quelque sorte, et pour lui rendre cette imaginaire propriété plus douce, le modifie au gré de sa passion. » [70]

Lorsqu'elle se soustrait à la tentation de la prévoyance, l'imagination devient une *faculté consolatrice* qui se déploie dans *une autre sphère*, dans un espace éthéré ou un empyrée qu'elle invente au gré de sa fantaisie. Rousseau cède à la pente de son imagination pour s'affranchir des contraintes du réel et s'évader dans un monde supraterrestre. C'est l'un des penchants les plus familiers et les plus violents de sa nature. « Pour concevoir jusqu'où mon délire allait dans ce moment, il faudrait connaître à quel point mon cœur est sujet à s'échauffer sur les moindres choses et avec quelle force il se plonge dans l'imagination de l'objet qui l'attire, quelque vain que soit quelquefois cet objet » [71]. Son imagination brûle les étapes et abolit les distances ; elle passe aisément d'un état à un autre, refusant de se soumettre à l'objet ou d'être entravée par quelque obstacle. Plus que cela, elle contredit la réalité, s'en écarte et lui substitue les perfections de l'imaginaire. La fonction créatrice de l'imagination consiste à inventer un univers *idéal*, *enchanté*, indépendant des embarras de la durée et du changement.

« C'est une chose bien singulière que mon imagination ne se monte jamais plus agréablement que quand mon état est le moins agréable, et qu'au contraire elle est moins riante lorsque tout rit autour de moi. Ma mauvaise tête ne peut s'assujettir aux choses. Elle ne saurait embellir, elle veut créer. Les objets réels s'y peignent tout au plus tels qu'ils sont ; elle ne sait parer que les objets imaginaires. » [72]

L'imagination est par excellence la faculté de l'enthousiasme et de la compensation ; elle crée inlassablement — du moins pendant toute la période de la maturité — si bien qu'aucune réalité ne saurait la satisfaire. Jean-Jacques imagine pour le plaisir d'imaginer, il imagine au-delà de tout désir d'accomplissement, de tout souci de réalisation, aussi lui arrive-t-il de ressentir *le néant de ses chimères*, espèce de *vide* intérieur où se mêlent inextricablement la mélancolie de l'absence et la joie d'une présence spirituelle.

« Quand tous mes rêves se seraient tournés en réalités ils ne m'auraient pas suffi ; j'aurais imaginé, rêvé, désiré encore. Je trouvais en moi un vide inexplicable que rien n'aurait pu remplir ; un certain élancement du cœur vers une autre sorte de jouissance dont je n'avais pas d'idée et dont pourtant je sentais le besoin. Hé bien Monsieur cela même était jouissance, puisque j'en étais pénétré d'un sentiment très vif et d'une tristesse attirante que je n'aurais pas voulu ne pas avoir. » [73]

Ce vide — état transitoire — correspond à une attente de la plénitude. Il est brusquement comblé par le sentiment de la totalité de l'univers et de l'omniprésence de Dieu. Impatiente de rompre les limites du monde, l'imagination de Rousseau se dérobe à la solidité des choses pour s'envoler à travers l'espace qu'elle dilate infiniment jusqu'à se remplir d'une « étourdissante extase » : « J'aimais à me perdre en imagination dans l'espace, mon cœur resserré dans les bornes des êtres s'y trouvait trop à l'étroit, j'étouffais dans l'univers, j'aurais voulu m'élancer dans l'infini »[74]. L'emportement de l'imagination dépasse les frontières du réel ; il échappe à tout contrôle de la raison, car il est commandé par une sorte d'enthousiasme sacré qu'aucune puissance ne saurait modérer.

C'est dans le *Deuxième Dialogue* que Rousseau précise le plus clairement la double fonction créatrice de l'imagination : faculté dynamique par sa puissance d'envol, son action libératrice, et vertu contemplative, passive qui s'identifie avec les rêveries et les enchantements qu'elle suscite. Virtuelle chez le primitif et l'enfant, assoupie chez le vieillard, elle est essentiellement mobile dans l'âme de l'adolescent et de l'adulte, animée par un constant mouvement d'extension et d'ascension qui l'arrache à l'enceinte étroite du monde. L'imagination est ailée. Ce n'est pas là une simple métaphore, mais un véritable symbole qui exprime son élancement et sa mobilité. Elle possède une force ascensionnelle qui lui permet de couper les amarres terrestres pour accéder à la vision d'un état céleste, indifférent aux tracas et aux mesquineries de l'ici-bas.

« Mais celui qui, franchissant l'étroite prison de l'intérêt personnel et des petites passions terrestres, s'élève sur les ailes de l'imagination au-dessus des vapeurs de notre atmosphère, celui qui sans épuiser sa force et ses facultés à lutter contre la fortune et la destinée sait s'élancer dans les régions éthérées, y planer et s'y soutenir par de sublimes contemplations, peut de là braver les coups du sort et les insensés jugements des hommes. »[75]

L'imagination est en l'homme le pouvoir d'arrachement et de liberté ; elle affirme sa souveraineté « en sautant par-dessus les obstacles qui l'arrêtent ou l'effarouchent »[76]. Elle franchit les barrières du temps, se joue des résistances de l'espace et de la matière pour s'élever jusqu'à l'empyrée, constellation du bonheur. « Cessant donc de chercher parmi les hommes le bonheur que je sentais n'y pouvoir trouver, mon ardente imagination sautait par-dessus l'espace de ma vie, à peine commencée, comme sur un terrain qui m'était étranger, pour se reposer sur une assiette tranquille où je pusse me fixer »[77]. Après s'être délivrée de son mouvement propre, l'imagination s'immobilise dans les charmes de la contemplation et s'abandonne aux délices de ses chimères. Cet effort d'émancipation s'achève dans la quiétude et dans la rêverie indolente. L'imagination soutient l'essor et détermine la *pente* de la rêverie, puis suspend son activité pour permettre au moi de se livrer à la plénitude joyeuse, à l'ivresse extatique que procure le sentiment d'exister en marge de toute contrainte.

« Un cœur actif et un naturel paresseux doivent inspirer le goût de la rêverie. Ce goût perce et devient une passion très vive pour peu qu'il soit secondé par l'imagination. C'est ce qui arrive très fréquemment aux Orientaux ; c'est ce qui est arrivé à Jean-Jacques qui leur ressemble à bien des égards. » [78]

Si l'Occidental se définit par son besoin d'action, de déplacement, par son esprit de recherche ou de conquête, l'Oriental éprouve plutôt des impulsions internes et se meut par l'imagination. Le premier se veut acteur, participe à la vie cosmique, tandis que le second se plaît au rôle de spectateur et contemple le devenir du monde dans le miroir de son esprit.

« Chez nous c'est le corps qui marche, chez les orientaux c'est l'imagination ; nos promenades viennent du besoin d'agiter nos fibres trop raides, et d'aller chercher de nouveaux objets. Chez eux le mouvement du cerveau supplée à celui de la personne, ils restent immobiles et l'univers se promène devant eux. » [79]

Jean-Jacques est un Occidental par la passion de la marche qui *anime*, *avive* ses idées, de même que par cette vivacité d'imagination et ce violent désir d'expansion qui ont marqué le temps de sa jeunesse alors qu'il ne songeait ni à organiser sa pensée, ni à écrire des livres. Il s'abandonnait au flux désordonné de son imagination insouciante. « Dans le feu de la jeunesse sa vive imagination surchargée, accablée d'objets charmants qui venaient incessamment la remplir tenait son cœur dans une ivresse continuelle qui ne lui laissait ni le pouvoir d'arranger ses idées, ni celui de les fixer, ni le temps de les écrire, ni le désir de les communiquer » [80]. Mais, en vieillissant, Rousseau se rapproche des Orientaux par le goût de la nonchalance, de la contemplation sereine qui fixe les mouvements de l'imagination, affaiblie et plus docile. Il éprouve surtout que la démarche de la pensée exige un effort continu qui le fatigue et l'importune toujours davantage. A l'époque des *Dialogues* et des *Rêveries*, il préfère l'oisiveté de la vie contemplative, la douce et vague errance de l'imagination, les fluctuations indécises du songe éveillé qui s'achève dans le ravissement de l'âme.

« J'ai pensé quelquefois assez profondément ; mais rarement avec plaisir, presque toujours contre mon gré et comme par force : la rêverie me délasse et m'amuse, la réflexion me fatigue et m'attriste ; penser fut toujours pour moi une occupation pénible et sans charme. Quelquefois mes rêveries finissent par la méditation, mais plus souvent mes méditations finissent par la rêverie, et durant ces égarements mon âme erre et plane dans l'univers sur les ailes de l'imagination dans des extases qui passent toute autre jouissance. » [81]

La paresse de penser et l'effacement de la réflexion laissent le champ libre aux mouvements paisibles de l'imagination, aux sinuosités légères de la rêverie. Le contemplatif assiste au défilé des images que la nature réfléchit dans son âme ; semblable au dormeur, il accueille les représentations involontaires qui assaillent son esprit. Si la réflexion, active et intentionnelle, lasse Jean-Jacques, la rêverie le repose, parce qu'elle est purement réceptive. « Dans la rêverie on n'est point actif. Les images se tracent dans le cerveau, s'y combinent comme dans le sommeil sans le concours de la volonté : on laisse à tout cela suivre sa marche, et l'on jouit sans agir » [82]. Cette vision intérieure ne procure pas seulement la quiétude, mais engendre le sens de l'ordre et de l'harmonie, l'idée de la beauté et de la perfection, tant dans l'univers moral qu'intelligible. Le contemplatif se confie au rythme paisible de la fiction, « aimant mieux se laisser gouverner par une imagination riante, que de gouverner avec effort sa tête par la raison » [83]. La prévision et la conjecture alarment l'imagination de Rousseau, tandis que la contemplation la rassure en la libérant des entraves matérielles et de la hantise du temps. Dans l'état de rêverie « le secours d'une imagination riante est nécessaire et se présente assez naturellement à ceux que le Ciel en a gratifiés »[84]. Sans elle, la vision des objets s'éteindrait, c'est elle qui les anime faiblement et en extrait des impressions délicates, propices à l'épanouissement de l'extase. L'âme s'absorbe dans un éternel présent et s'enivre du « sentiment de l'existence dépouillé de toute autre affection ». Le moi s'accomplit dans sa plénitude, il se divinise en quelque sorte et participe à la totalité de la création. Cette extase, produite par l'essor d'une imagination attiédie, demeure plus quiétiste que panthéiste. Rousseau conserve la notion de la transcendance de Dieu, aspire à un bonheur parfait dans « une contemplation pure et désintéressée », temporairement soustraite aux modifications extérieures. Les éléments de la nature se fixent dans l'imagination de telle sorte qu'au terme de ses rêveries Rousseau ne distingue plus le réel de l'imaginaire ; les fictions qu'il se plaît à inventer et les objets observés se confondent dans une vision unique. « J'assimilais à mes fictions tous ces aimables objets et me trouvant enfin ramené par degrés à moi-même et à ce qui m'entourait, je ne pouvais marquer le point de séparation des fictions aux réalités »[85]. La fusion du réel et de l'imaginaire est un prolongement de la rêverie, un état privilégié qui efface les contradictions, dissipe toute peine et toute ténèbre dans un moment d'heureuse transparence.

Ainsi l'imagination détient une vertu consolatrice que Rousseau a souvent éprouvée. Elle compense les misères, répare les injustices, remédie aux infortunes ; elle procure un bonheur qui échappe à l'autorité des hommes et à la puissance du destin. Les *biens imaginaires* ont plus de vraie densité que les biens réels, parce qu'ils sont durables, de nature spirituelle, supérieurs à toute contingence.

« Dépouillé par des mains cruelles de tous les biens de cette vie, l'espérance l'en dédommage dans l'avenir, l'imagination les lui rend dans l'instant même : d'heureuses fictions lui tiennent lieu d'un bonheur réel ; et que dis-je ? Lui seul est solidement heureux, puisque les biens terrestres peuvent à chaque instant échapper en mille manières à celui qui croit les tenir : mais rien ne peut ôter ceux de l'imagination à quiconque sait en jouir. Il les possède sans risque et sans crainte, la fortune et les hommes ne sauraient l'en dépouiller. » [86]

Les fictions et les chimères dont le cœur se nourrit prévalent sur les *biens apparents* dont la plupart des hommes se satisfont. Rousseau dit de lui-même : « Il est plus heureux et plus riche par la possession des biens imaginaires qu'il crée, qu'il ne le serait par celle des biens plus réels si l'on veut, mais moins désirables qui existent réellement » [87]. L'imaginaire est plus authentique que toute réalité, il est le refuge souverain dans le présent, l'aiguillon de la mémoire et l'instrument du progrès spirituel. L'imagination ressuscite le bonheur perdu, pare les souvenirs de nouveaux ornements et se représente les objets absents avec une telle intensité que leur présence en est agrandie et magnifiée. Cet embellissement se produit toutes les fois que Jean-Jacques songe à l'Ile de Saint-Pierre.

« Les hommes se garderont, je le sais, de me rendre un si doux asile où ils n'ont pas voulu me laisser. Mais ils ne m'empêcheront pas du moins de m'y transporter chaque jour sur les ailes de l'imagination, et d'y goûter durant quelques heures le même plaisir que si je l'habitais encore. Ce que j'y ferais de plus doux serait d'y rêver à mon aise. En rêvant que j'y suis ne fais-je pas la même chose ? Je fais même plus ; à l'attrait d'une rêverie abstraite et monotone je joins des images charmantes qui la vivifient. Leurs objets échappaient souvent à mes sens dans mes extases, et maintenant plus ma rêverie est profonde plus elle me les peint vivement. Je suis souvent plus au milieu d'eux et plus agréablement encore que quand j'y étais réellement. » [88]

Comme Pygmalion, Jean-Jacques croit à la plénitude de son rêve intérieur et à la réalité absolue de ses créations imaginaires comme au suprême dédommagement qui soit accordé à l'homme ici-bas. Tantôt il revient au passé dans l'espoir de rejoindre *le niveau de la source*, de ranimer la vision de l'âge d'or ou de l'enfance, tantôt il imagine un *monde idéal dont les habitants* aspirent à l'*état céleste* en attendant la promesse de l'éternité.

L'imagination navigue entre le passé et le futur, elle est au commencement et à la fin de toute chose, puisqu'elle étreint l'infini de l'espace. Elle dépasse les bornes de l'humain et du terrestre sans se séparer d'eux totalement, puisqu'elle assimile leur substance pour la transposer dans l'idéal.

On a coutume d'affirmer que l'imagination fit de Rousseau un misanthrope, qu'elle l'empêcha de s'adapter à la vie sociale. Ce n'est que partiellement vrai. Jean-Jacques préféra certes la société des êtres chimériques à celle des hommes, le monde enchanté au réel, mais il éprouva aussi la nostalgie de la communication immédiate par le moyen de la parole et le langage des signes. Or la faculté qui permet de se rapprocher des êtres, d'établir avec eux une relation sincère, est précisément l'imagination, capable à la fois d'inviter à la solitude et d'y remédier. Puisqu'elle se développe avec l'organisation sociale, elle engage l'homme à sortir de lui-même, à considérer l'existence d'autrui, afin de participer aux misères de l'humanité et de s'identifier « avec l'être souffrant ». C'est l'imagination qui inspire le sentiment de la pitié et éveille l'intérêt pour les malheurs du prochain. « Les affections sociales ne se développent en nous qu'avec nos lumières. La pitié, bien que naturelle au cœur de l'homme, resterait éternellement inactive sans l'imagination qui la met en jeu... Celui qui n'imagine rien ne sent que lui-même ; il est seul au milieu du genre humain » [89]. L'imagination franchit les limites du moi et se porte spontanément à la rencontre d'autrui. Elle abolit la distance entre les êtres et s'émeut de leurs souffrances au point d'en être atteinte, inquiétée même. « A force de méditer sur les misères de l'humanité, notre imagination nous accable de leur poids, et trop de prévoyance nous ôte le courage en nous ôtant la sécurité », écrit Rousseau dans la préface de *Narcisse*. La sympathie, chez le primitif et l'adolescent, s'éveille en même temps que la conscience sociale. Emile ne ressent d'abord que ses propres maux, puis, lorsqu'il conçoit son appartenance à une collectivité, il devient sensible aux douleurs de ses semblables. Il s'assimile à leur destin et en particulier au sort des malheureux, car l'imagination est plus vivement touchée par le spectacle de l'infortune que par celui de la félicité.

« Le premier acte de son imagination naissante est de lui apprendre qu'il a des semblables, et l'espèce l'affecte avant le sexe...
L'enfant n'imaginant point ce que sentent les autres ne connaît de maux que les siens : mais quand le premier développement des sens allume en lui le feu de l'imagination, il commence à se sentir dans ses semblables, à s'émouvoir de leurs plaintes et à souffrir de leurs douleurs. » [90]

Ainsi l'imagination ne nous contraint pas exclusivement à la solitude ; elle nous ouvre à l'existence de nos semblables et nous fait partager leurs souffrances. De toute manière l'âme solitaire, habituée aux replis sur soi et à la contemplation, imagine l'humanité meilleure qu'elle n'est et plus digne d'attachement. « Quand on vit seul, on en aime mieux les hommes, un tendre intérêt nous rapproche d'eux, l'imagination nous montre la société par ses charmes, et l'ennui même de la solitude tourne au profit de l'humanité » [91]. Celui qui vit dans le monde est moins affecté par le spectacle des misères de l'humanité, parce que l'habitude de les observer le rend indifférent. Le solitaire les imagine avec d'autant plus de force qu'il ne les voit pas ; son *âme expansive* se transporte hors d'elle-même, se représente avec une singulière intensité les malheurs d'autrui et demeure plus accessible à la pitié. Rousseau n'a pas seulement été atteint par sa propre infortune, il a participé par l'imagination aux douleurs d'autrui en les éprouvant dans son âme naturellement inquiète. « L'imagination renforçant la sensation m'identifie avec l'être souffrant et me donne souvent plus d'angoisses qu'il n'en sent lui-même » [92]. L'expansion imaginative n'est pas purement égotiste ; en suppléant à la vision de la réalité, elle s'approprie la condition malheureuse des autres et sympathise avec eux aux confins de l'angoisse.

L'imagination ne s'attache pas seulement au destin des hommes, mais aussi aux objets familiers et aux choses de la nature. Elle est affectée ou modifiée par les objets matériels qui servent de tremplin à son envol. Mais l'imagination de Jean-Jacques est émue avant tout par la présence inspiratrice des choses de la nature. « Mon imagination qui s'anime à la campagne et sous les arbres, languit et meurt dans la chambre et sous les solives d'un plancher » [93]. Elle est sensible au langage des signes que lui parle la nature ; elle goûte le charme des arbres et des ombrages, de la verdure et des fleurs ainsi que l'aridité des rochers et des déserts ; elle s'anime en contemplant « l'or des genêts et la pourpre des bruyères », perçoit avec délices le chant des oiseaux ou la rumeur des eaux. Lorsqu'il pénètre dans l'Elysée, Saint-Preux est touché par la profusion de la nature : « En entrant dans ce prétendu verger, je fus frappé d'une agréable sensation de fraîcheur que d'obscurs ombrages, une verdure animée et vive, des fleurs éparses de tous côtés, un gazouillement d'eau courante et le chant de mille oiseaux portèrent à mon imagination du moins autant qu'à mes sens » [94]. Son imagination est aussi émue par le spectacle des travaux champêtres, par les labours, les moissons, la vendange, par tout ce qui lui évoque « la simplicité de la vie pastorale ». Rousseau, comme Saint-Preux, ouvre son âme au langage de la nature, langage qu'il assimile par la contemplation et spiritualise par la rêverie. Les objets perdent leur apparence extérieure, envahissent le moi sensible pour participer aux mouvements de la vie intérieure. « C'est dans le cœur de l'homme qu'est la vie du spectacle de la nature ; pour le voir il faut le sentir » [95]. Les éléments deviennent des images, des symboles de nos affections intimes comme le précise cet admirable fragment de l'*Art de jouir :*

> « Solitude chérie où je passe encore avec plaisir les restes d'une vie livrée aux souffrances, forêt sans bois, marais sans eaux, genêts, roseaux, tristes bruyères, objets inanimés qui ne pouvez ni me parler ni m'entendre, quel charme secret me ramène sans cesse au milieu de vous. Etres insensibles et morts, ce charme n'est point en vous, il n'y saurait être, il est dans mon propre cœur qui veut tout rapporter à lui. » [96]

Avant Baudelaire, Rousseau perçoit

Le langage des fleurs et des choses muettes

et le transpose dans son âme. Non seulement la nature enflamme l'imagination par les objets qu'elle propose, mais la *purifie* en la délivrant des tourments, des visions qui la hantent et l'obscurcissent. « Brillantes fleurs, émail des prés, ombrages frais, ruisseaux, bosquets, verdure, venez purifier mon imagination salie par tous ces hideux objets. Mon âme morte à tous les grands mouvements ne peut plus s'affecter que par des objets sensibles ; je n'ai plus que des sensations »[97]. Dans sa vieillesse, Rousseau, devenu méfiant à l'égard de son imagination, s'efforce de la contenir dans les limites de la sensation et de la fixer par l'observation attentive des objets. Au lieu de céder à sa liberté d'expansion, il la discipline et ne la déploie plus que dans un espace immédiatement perceptible. C'est pourquoi la botanique conserve aux yeux de Jean-Jacques un prestige exceptionnel ; elle apaise son imagination en lui évoquant des sentiments heureux, des idées chères ou des objets familiers dont la mémoire établit la continuité.

« C'est la chaîne des idées accessoires qui m'attache à la botanique. Elle rassemble et rappelle à mon imagination toutes les idées qui la flattent davantage. Les prés, les eaux, les bois, la solitude, la paix surtout et le repos qu'on trouve au milieu de tout cela sont retracés par elle incessamment à ma mémoire. »[98]

La botanique immobilise l'imagination, l'absorbe dans l'étude du détail sans l'éteindre totalement. Elle lui imprime des mouvements légers qui déclenchent des extases d'une délicate transparence. L'imagination s'enivre de parfums délicieux, jouit de la beauté des formes et des couleurs, se laisse ravir par l'agitation des eaux ou le bruissement du feuillage. Les impulsions qu'elle ressent ne l'entraînent plus dans l'aventure d'une expansion spatiale ou temporelle, mais se rassemblent dans l'âme où elles suscitent de sereines rêveries. L'imagination a perdu sa violence, elle n'est plus conquérante, mais tournée vers l'approfondissement du bonheur intérieur. Elle devient l'hôte familier de la solitude, détaché des tribulations du temps et pressé d'entrer dans l'éternité, après avoir hanté « le pays des chimères » et les rivages du siècle d'or.

CHAPITRE IV

L'amour et le pays des chimères

Oui, c'est toujours la femme perdue, celle qui chante dans l'imagination de l'homme. ANDRÉ BRETON

Depuis que le génie celtique a inventé le récit mythique de Tristan et Iseut « aux cheveux d'or », l'amour est devenu une terre promise que l'imagination crée de toutes pièces et parcourt inlassablement. Tristan éprouve « le désir que rien n'apaise », il se meurt « du désir qui ne trouve pas son accomplissement ». Il ne peut satisfaire ici-bas l'absolu de son amour, sa passion de l'impossible l'emporte au-delà des frontières du réel. « Il est mécontent de ce qu'il a et s'afflige plus encore de ce qu'il ne peut posséder : la belle reine en qui est sa mort et sa vie » [1]. Son amour, en butte aux obstacles matériels et sociaux, ne saurait s'accomplir au niveau d'un destin terrestre ; il trouve son achèvement dans la transcendance d'un ailleurs imaginaire ou dans l'éternité de l'Autre Monde, situé par delà les limites de la mort. L'amour unique, absolu, est au carrefour du réel et de l'imaginaire, il est engagé dans les chemins de l'imperfection terrestre, mais il se réfère à un modèle idéal et sacré, aspire à une condition céleste qu'il découvre dans les « jardins enchantés de l'imagination » [2]. Ennobli par l'enthousiasme de la perfection, il se crée un monde surnaturel, magique, débarrassé des servitudes et des contingences matérielles, il se persuade, selon le mot fameux de Julie, que « le pays des chimères est en ce monde le seul digne d'être habité ». Cette certitude a inspiré la littérature courtoise et précieuse, plusieurs recueils des poètes du XVIe siècle, *L'Astrée* d'Honoré d'Urfé et *La Princesse de Clèves*, les tragédies de Racine, les *Lettres de la religieuse portugaise* qui a connu que la passion importe davantage que l'être aimé et que « l'amour tout seul ne donne point de l'amour ». Plus que tout autre écrivain de son siècle, Rousseau a éprouvé que l'amour postule une réalité transcendante et sacrée, qu'il invente une terre fabuleuse et céleste, affranchie des entraves du réel. Plusieurs passages des *Confessions*, *La Nouvelle Héloïse*, le cinquième livre d'*Emile* et *Pygmalion* évoquent tour à tour ce royaume enchanté de l'amour que l'imagination peuple à son gré et à la mesure de ses exigences.

Convaincu de l'imperfection inhérente à toute organisation sociale et de l'impossibilité de reconquérir l'innocence des origines, insatisfait de la société — non de la société idéale qu'il a conçue dans le *Contrat social*, mais de la société qu'il a connue à Paris et ailleurs — Jean-Jacques s'est toujours plu à inventer des sociétés imaginaires et à vivre dans la compagnie de chimères séduisantes. Dans la première des lettres à Malesherbes, il avoue que les êtres fictifs, engendrés par son imagination romanesque, correspondent mieux que les êtres qu'il côtoie aux penchants de son cœur et à sa passion de la solitude.

Je suis né avec un amour naturel pour la solitude qui n'a fait qu'augmenter à mesure que j'ai mieux connu les hommes. Je trouve mieux mon compte avec les êtres chimériques que je rassemble autour de moi qu'avec ceux que je vois dans le monde, et la société dont mon imagination fait les frais dans ma retraite achève de me dégoûter de toutes celles que j'ai quittées [3].

La société imaginaire satisfait seule le cœur de Jean-Jacques, elle charme son esprit parce qu'elle convient à ses goûts de liberté et de sécurité intérieure. Dans la solitude frémissante des forêts, parmi « l'or des genêts et la pourpre des bruyères », son imagination anime le spectacle de la nature en la *peuplant* de présences et de créatures fictives.

« Mon imagination ne laissait pas longtemps déserte la terre ainsi parée. Je la peuplais bientôt d'êtres selon mon cœur, et chassant bien loin l'opinion, les préjugés, toutes les passions factices, je transportais dans les asiles de la nature des hommes dignes de les habiter. Je m'en formais une société charmante dont je ne me sentais pas indigne. » [4]

Dans les bois de l'Hermitage, il se crée de chimériques compagnies susceptibles de remédier à l'imperfection des hommes et à l'impossibilité de toute communication authentique, il imagine des êtres parfaits, dignes d'assouvir les besoins d'amour, de beauté et d'amitié que le monde réel lui refuse.

« L'impossibilité d'atteindre aux êtres réels me jeta dans le pays des chimères, et ne voyant rien d'existant qui fût digne de mon délire, je le nourris dans un monde idéal que mon imagination créatrice eut bientôt peuplé d'êtres selon mon cœur... Oubliant tout à fait la race humaine, je me fis des sociétés de créatures parfaites aussi célestes par leurs vertus que par leurs beautés, d'amis sûrs, tendres, fidèles, tels que je n'en trouvai jamais ici-bas. Je pris un tel goût à planer ainsi dans l'empyrée au milieu des objets charmants dont je m'étais entouré que j'y passais les heures, les jours sans compter. » [5]

L'aptitude à se réfugier dans l'empyrée de l'imagination s'est encore fortifiée à l'époque des *Dialogues* et des *Rêveries.* Rousseau transpose ses désirs et ses passions « dans une autre sphère », dans un univers supérieur et idéal, habité par les « êtres surlunaires » qu'il a créés au gré de son tempérament chimérique. Son imagination « pleine de types de vertus, de beautés, de perfections de toute espèce » aspire à un « état céleste », à une condition harmonieuse, affranchie des obstacles terrestres. Elle substitue le bonheur de la fiction aux misères et aux infortunes de la vie sociale, elle s'exalte à parcourir les espaces illimités de l'éther. Jean-Jacques se compose une terre de paradis qui le dédommage de ses tourments et de ses déceptions. « Laissant concourir ses sens à ses fictions, il se forme des êtres selon son cœur, et vivant avec eux dans une société dont il se sent digne, il plane dans l'empyrée au milieu des objets charmants et presque angéliques dont il s'est entouré » [6]. Dans *Les Rêveries* Rousseau exprime à nouveau sa lassitude et son détachement de la société, sa volonté de vivre dans l'imaginaire *avec les enfants de sa fantaisie* qui le consolent de la malignité des hommes et de leurs persécutions. « Mon cœur se nourrit encore des sentiments pour lesquels il était né et j'en jouis avec les êtres imaginaires qui les produisent et qui les partagent comme si ces êtres existaient réellement. Ils existent pour moi qui les ai créés et je ne crains ni qu'ils me trahissent ni qu'ils m'abandonnent »[7]. L'imaginaire lui offre cet apaisement et cette sécurité qu'il chercherait en vain dans les chemins du monde, hérissés de pièges et d'obstacles. L'imagination dispose du pouvoir de rompre les frontières du réel et d'agrandir les dimensions de l'espace, elle dépouille le monde de sa pesanteur coupable et crée des êtres comme taillés dans la transparence du cristal. Sa force d'expansion l'emporte vers la contrée magique des chimères où le cœur éprouve le contentement de soi.

La critique insinue volontiers que cette fuite dans l'imaginaire procède d'une inaptitude sociale, d'une aversion croissante pour la société humaine. Selon le témoignage des *Confessions*, il s'agit avant tout d'une disposition innée à nourrir son esprit de songes et son cœur d'illusions, à compenser les insuffisances du réel par l'invention d'un monde imaginaire. Cette disposition remonte à l'enfance de Jean-Jacques qui, doué d'un *tempérament combustible*, d'une imagination romanesque, voluptueuse, a toujours ressenti des passions violentes et impétueuses. Elle permet en effet de contenir, de tempérer les élans de la sensualité en substituant aux êtres réels des êtres chimériques parés de beauté et d'innocence. Elle habitue le cœur à « s'alimenter de fictions », à rechercher la perfection au-delà de l'objet aimé, à transposer ses désirs dans le monde harmonieux et immuable de l'imaginaire.

« Dans cette étrange situation mon inquiète imagination prit un parti qui me sauva de moi-même et calma ma naissante sensualité. Ce fut de se nourrir des situations qui m'avaient intéressé dans mes lectures, de les rappeler, de les varier, de les combiner, de me les approprier tellement que je devinsse un des personnages que j'imaginais, que je me visse toujours dans les positions les plus agréables selon mon goût, enfin que l'état fictif où je venais à bout de me mettre me fit oublier mon état réel dont j'étais si mécontent. Cet amour des objets imaginaires et cette facilité de m'en occuper achevèrent de me dégoûter de tout ce qui m'entourait, et déterminèrent ce goût pour la solitude, qui m'est toujours resté depuis ce temps-là. »[8]

Cette thérapeutique qui équilibre le trouble du désir par un accomplissement dans la réalité de l'imaginaire, Rousseau la pratiqua non seulement au cours de son adolescence, mais pendant toute sa vie. Elle correspondait à sa passion de la solitude, préservait sa nostalgie de la pureté, apaisait son inquiétude du salut autant que les tourments de sa conscience. En effet, Rousseau associe l'acte de l'amour au sentiment de la culpabilité. Bien qu'il s'oppose farouchement à la théologie janséniste et qu'il écarte le dogme du péché originel, il est persuadé qu'une obscure malédiction pèse sur la chair et l'instinct sexuel. Il se défie de la brûlure des sens, des flammes noires du plaisir et de la volupté. La communication amoureuse est impossible par l'intermédiaire des corps, l'union charnelle est essentiellement imparfaite en ce sens qu'elle ne procure pas la sensation de la plénitude, mais éveille le remords et le sentiment de la faute. La possession charnelle introduit une fêlure dont l'amour ne se guérit pas. « Le moment de la possession est une crise de l'amour », écrit Julie à Saint-Preux[9]. La jouissance physique diminue les prestiges et altère les enchantements de l'imagination. Aussi Jean-Jacques, nature à la fois sensuelle et timide, pudique et voluptueuse, préfère-t-il à l'acte charnel l'onanisme ou le plaisir chimérique qui satisfont les impulsions de la chair en utilisant la vivacité de l'imagination. La vraie jouissance n'est pas dans une possession incomplète et fugitive, mais dans les délices profondes et durables que suggère l'imagination.

« Dans mes sottes fantaisies, dans mes érotiques fureurs, dans les actes extravagants auxquels elles me portaient quelquefois, j'empruntais imaginairement le secours de l'autre sexe, sans penser jamais qu'il fût propre à nul autre usage qu'à celui que je brûlais d'en tirer... J'ai donc fort peu possédé, mais je n'ai pas laissé de jouir beaucoup à ma manière ; c'est-à-dire par l'imagination. »[10]

L'onanisme, même s'il est dicté par la crainte ou la timidité, présente des avantages semblables : il préserve l'être aimé de la souillure, de la déchéance attachée à l'acte charnel, et il sollicite le concours de l'imagination, libérée des contraintes et des obstacles extérieurs. « Ce vice que la honte et la timidité trouvent si commode, a de plus un grand attrait pour les imaginations vives ; c'est de disposer pour ainsi dire à leur gré de tout le sexe, et de faire servir à leurs plaisirs la beauté qui les tente sans avoir besoin d'obtenir son aveu »[11]. Le pouvoir et la durée d'une passion ne sont pas dans la possession charnelle, mais dans l'illusion, dans le bonheur imaginaire qu'elle procure et dans le rêve intérieur qu'elle suscite. Le songe et la chimère de l'amour importent plus que les gestes mêmes de l'amour. Rousseau en était intuitivement persuadé avant de rencontrer Madame de Warens et il l'a éprouvé dans l'unique passion amoureuse de sa vie, celle que lui inspira Sophie d'Houdetot. Au livre troisième des *Confessions*, il s'écrie comme à regret : « Hélas ! mon plus constant bonheur fut en songe ». Pouvait-il en être autrement ? Sa timidité, son indolence, la honte de la chair et la frayeur de la faute l'incitaient à recourir aux prestiges de la fiction, à transposer et à satisfaire la passion amoureuse dans le monde de l'imaginaire. La nature même de Jean-Jacques justifie le rôle capital que l'imagination a joué dans sa vie affective et sexuelle.

Dans sa grande lettre à Saint-Germain (26 février 1770) Rousseau fait cet aveu qui rejoint les déclarations des *Confessions :*

> « L'amour et la débauche ne sauraient aller ensemble ; il faut choisir. Ceux qui les confondent ne connaissent que la dernière : c'est sur leur état qu'ils jugent du mien ; mais ils se trompent. Adorer les femmes et les posséder sont deux choses très différentes. Ils ont fait l'une, et j'ai fait l'autre. J'ai connu quelquefois leurs plaisirs, mais ils n'ont jamais connu les miens.
>
> L'amour que je conçois, celui que j'ai pu sentir, s'enflamme à l'image illusoire de la perfection de l'objet aimé ; et cette illusion même le porte à l'enthousiasme de la vertu, car cette idée entre toujours dans celle d'une femme parfaite. »[12]

Ce souci de distinguer l'amour de la possession a joué un rôle essentiel dans la passion que Rousseau a éprouvée pour

Madame de Warens, d'autant plus essentiel que celle-ci remplissait la double fonction de mère et d'amante. La présence d'une âme maternelle lui est plus indispensable que la possession d'un corps et son désir ne se cristallise pas nécessairement autour d'un objet déterminé. Certes l'imagination de Jean-Jacques envisage le moment de la possession : « Naturellement ce que j'avais à craindre dans l'attente de la possession d'une personne si chérie était de l'anticiper, et de ne pouvoir assez gouverner mes désirs et mon imagination pour rester maître de moi-même ». Mais elle redoute aussi la possession qui dégrade la femme aimée en abaissant le modèle idéal au niveau du réel. L'amour de Jean-Jacques pour Madame de Warens se situe au-delà de la présence et de la convoitise charnelles, si bien qu'il est plus authentique, plus sincère avant la possession. « Je peux jurer que jamais je ne l'aimai plus tendrement que quand je désirais si peu la posséder. » L'acte de la possession lui communique aussitôt des sentiments de remords et de culpabilité. Jean-Jacques ressent une blessure intérieure, comme s'il avait « commis un inceste »[13]. L'amour physique apporte le plaisir, mais il n'ajoute rien au bonheur conçu par l'imagination, il produit au contraire un phénomène de décristallisation et obscurcit d'un voile « le pays des chimères ». Si l'amour de Rousseau et de Madame de Warens a survécu quelques années à l'épreuve, c'est qu'il se fondait, non sur le goût de la volupté physique, mais sur « une possession plus essentielle, qui, sans tenir aux sens, au sexe, à l'âge, à la figure tenait à tout ce par quoi l'on est soi, et qu'on ne peut perdre qu'en cessant d'être » [14]. L'imagination est si puissante chez Jean-Jacques qu'elle intervient dans l'acte même de l'amour et qu'elle accroît la jouissance en substituant à l'être aimé l'image d'un être fictif. Dans les bras de Madame de Warens, Rousseau éprouve le besoin de se représenter une autre maîtresse dont la présence imaginaire aiguise son plaisir. Il écrit au livre V des *Confessions :* « Les besoins de l'amour me dévoraient au sein de la jouissance. J'avais une tendre mère, une amie chérie, mais il me fallait une maîtresse. Je me la figurais à sa place ; je me la créais de mille façons pour me donner le change à moi-même». Cette substitution est le propre du jeu érotique de l'imagination. Toutefois la possession, bien qu'elle soit ici plus spirituelle que charnelle, sera corrompue par l'idée du partage et le temps pastoral des Charmettes deviendra une de ces constellations illuminant le ciel de la mémoire.

Pendant le séjour à l'Hermitage, la chair et l'esprit de Jean-Jacques sont plus que jamais tentés par des exigences d'absolu. Seule la plénitude pouvait assouvir les désirs de son cœur. « Ce qui me manquait m'empêchait de goûter ce que j'avais. En fait de bonheur et de jouissance, il me fallait tout ou rien » [15]. L'idéal de l'amour qu'il conçoit dépasse les limites des êtres charnels et n'est accessible qu'au pouvoir transcendant de l'imagination. Aussi la compagnie de Thérèse ne lui suffit-elle pas, elle lui communique plutôt le sentiment d'un vide, d'une absence, d'une privation que rien de réel ne parvient à combler. « En la possédant je sentais qu'elle me manquait encore, et la seule idée que je n'étais pas tout pour elle faisait qu'elle n'était presque rien pour moi » [16]. Paroles sévères, commandées par cette faim d'absolu qui convie tous les prestiges de l'imaginaire. Tourmenté par son tempérament *combustible* et *timide*, Jean-Jacques ressent impérieusement le besoin d'aimer, il est consumé par un « feu dévorant, mais stérile ». Comme il pressent que « les êtres parfaits ne sont pas dans la nature », il transpose sa passion dans le monde enchanté que lui propose son imagination. Il se crée une société idéale, composée d'êtres célestes et chimériques en compagnie desquels il passe de délicieux instants ou bien il peuple les forêts de dryades, de sylphides qui lui inspirent un « tendre délire » et d' « érotiques transports ». Alors qu'il s'abandonnait aux débauches de son imagination, Rousseau rencontra la comtesse Sophie d'Houdetot, pour laquelle il éprouva un amour unique, « l'amour dans toute son énergie et dans toutes ses fureurs ». Sa passion des objets imaginaires put alors se fixer sur un être de chair avec une sensuelle violence.

Mais hanté par le sentiment que l'amour charnel est voué à la faute, que la possession avilit la femme aimée, Rousseau réprima ses désirs en s'efforçant de les spiritualiser. « La véhémence de ma passion la contenait par elle-même. Le devoir des privations avait exalté mon âme. L'éclat de toutes les vertus ornait à mes yeux l'idole de mon cœur ; en souiller la divine image eût été l'anéantir... Je l'aimais trop pour vouloir la posséder »[17]. Non seulement la possession physique viole le sacré de la personne, mais elle corrompt l'image de la femme en la faisant déchoir de cette condition parfaite que lui compose la fièvre de l'imagination. La satisfaction charnelle détruit les effets de la cristallisation, c'est pourquoi l'idée de la possession suscite la révolte de l'âme et ranime la conscience de l'interdit.

« Cette voix terrible qui ne trompe point me faisait frémir à la seule idée de souiller de parjure et d'infidélité celle que j'aime, celle que je voudrais voir aussi parfaite que l'image que j'en porte au fond de mon cœur ; celle qui doit m'être inviolable à tant de titres. J'aurais donné l'univers pour un moment de félicité ; mais t'avilir, Sophie ! ah ! non, il n'est pas possible, et, quand j'en serais le maître, je t'aime trop pour te posséder jamais. »[18]

Jean-Jacques est une fois encore contraint à se retrancher dans « le pays des chimères », le seul refuge contre l'imperfection fatale de l'amour soumis aux obstacles du monde et de la conscience. Il est rejeté dans l'imaginaire par l'échec de sa passion. Sophie, en qui il crut reconnaître Julie, s'éloigne peu à peu, elle prend l'inconsistance d'un fantôme et s'écarte toujours davantage du modèle imaginé.

« Un moment la femme de chair avait prêté son apparence à la créature née d'un rêve ; Sophie avait été Julie ; puis l'identité s'était défaite ; les deux êtres se sont disjoints. Devant cette visiteuse soudaine qui lui conférait un corps, Julie s'était effacée, proposant son âme. Sophie n'en avait su que faire. Sous le regard de Jean-Jacques elle se dissout maintenant dans l'inconsistance. Créature réelle, créature de songe, des deux la plus vraie est l'imaginaire. »[19]

En face de la fragilité et de la métamorphose des êtres, l'imagination reprend ses droits pour exercer sa fonction compensatrice. Rousseau envisage de transposer son amour dans la fiction comme le révèle le même projet de lettre à Sophie : « Dans l'impossibilité de tirer de toi de vrais signes d'attachement, un rien suffit pour m'en créer de chimériques ». La réalité de son amour n'appartient plus au monde, elle acquiert la dimension d'un mythe qui s'exprimera dans *La Nouvelle Héloïse*. Certes le roman est pénétré de l'expérience que Rousseau venait de vivre avec Madame d'Houdetot, mais il dépasse infiniment les faits et témoigne de la vertu magique de l'amour.

« Il est certain que j'écrivis ce roman dans les plus brûlantes extases ; mais on se trompait en pensant qu'il avait fallu des objets réels pour les produire ; on était loin de concevoir à quel point je puis m'enflammer pour des êtres imaginaires. Sans quelques réminiscences de jeunesse et Madame d'Houdetot, les amours que j'ai sentis et décrits n'auraient été qu'avec des Sylphides. » [20]

La Nouvelle Héloïse, issue des souvenirs de Jean-Jacques et de son commerce avec des êtres chimériques, est le miroir où se réfléchissent les lumières de l'imagination.

La seconde préface de *Julie* ou *Entretien sur les romans*, écrite sous forme de dialogue comme le sera *Rousseau juge de Jean-Jacques*, précise que l'amour se compose de lui-même un autre monde, qu'il se prolonge et s'achève dans un ailleurs, un au-delà. La passion amoureuse est créatrice d'illusions et de chimères, elle confère l'existence à des objets imaginaires et divinise l'être élu auquel elle assigne les attributs de la perfection. Par l'embellissement qu'ils produisent, par le recours au langage religieux, les transports de l'amour revêtent un caractère sacré et transfigurent le terrestre. L'amour humain est, comme l'amour mystique, emporté vers le ciel par une force interne et véhémente.

« L'amour n'est qu'illusion ; il se fait, pour ainsi dire, un autre Univers ; il s'entoure d'objets qui ne sont point, ou auxquels lui seul a donné l'être ; et comme il rend tous ses sentiments en images, son langage est toujours figuré... L'enthousiasme est le dernier degré de la passion. Quand elle est à son comble, elle voit son objet parfait ; elle en fait alors son idole ; elle le place dans le Ciel ; et comme l'enthousiasme de la dévotion emprunte le langage de l'amour, l'enthousiasme de l'amour emprunte aussi le langage de la dévotion. Il ne voit plus que le Paradis, les Anges, les vertus des Saints, les délices du séjour céleste. »

Rousseau, comme Julie, condamne les effets du « langage mystique et figuré » qui aiguise dangereusement la sensibilité et enflamme l'imagination sans parvenir pour autant à se détacher du sensible. « Je n'aime pas, non plus, ce langage mystique et figuré qui nourrit le cœur des chimères de l'imagination, et substitue au véritable amour de Dieu des sentiments imités de l'amour terrestre, et trop propres à le réveiller. Plus on a le cœur tendre et l'imagination vive, plus on doit éviter ce qui tend à les émouvoir »[21]. Si le langage mystique tend à confondre l'amour sacré et l'amour profane selon une équivoque dont *Le Cantique des cantiques* donne l'exemple, il n'en demeure pas moins que l'amour humain utilise spontanément un langage religieux, qu'il s'exprime au moyen de métaphores et d'images empruntées au monde du sacré. Couper l'amour de son *aura* mystique, c'est le priver de sa dimension spirituelle et lui ravir les ornements chimériques dont le pare l'imagination. Rousseau est parfaitement conscient que la rhétorique amoureuse implique le recours constant à une langue d'essence religieuse et métaphorique. Saint-Preux écrit à Julie : « Pour peu qu'on ait de chaleur dans l'esprit, on a besoin de métaphores et d'expressions figurées pour se faire entendre. Vos lettres mêmes en sont pleines sans que vous y songiez, et je soutiens qu'il n'y a qu'un géomètre et un sot qui puissent parler sans figures »[22]. Le langage de l'affectivité ne trouve pas son compte dans la sèche précision du langage mathématique, il signifie par l'emploi des figures qu'invente l'imagination. Le romancier, soucieux d'exprimer l'enthousiasme de l'amour, ne compose plus des *lettres*, mais des *hymnes* inspirés par le sentiment du sacré.

Quelle est dans l'amour la part de l'imagination et dans quelle mesure les conceptions de Rousseau annoncent-elles la théorie stendhalienne de la cristallisation ? L'intelligence et la raison, associées aux lenteurs de la réflexion, ne jouent qu'un rôle fort secondaire en amour, elles sont devancées, dépassées par les facultés sensibles et intuitives. La raison est contrainte la plupart du temps d'abandonner à l'imagination le gouvernement du cœur. « Quand l'imagination prend les devants, la raison ne se hâte pas comme elle, et souvent la laisse aller seule » [23]. L'imagination, active, mobile, se définit par sa fulgurance, par la promptitude de son essor, par sa vivacité et son emportement. Elle aiguise les sentiments, favorise la croissance de l'amour en traduisant les impulsions sensibles. Emue par les sens, elle affecte le cœur et lui communique toute passion, sacrée ou profane. « On a beau faire, ... le cœur ne s'attache que par l'entremise des sens ou de l'imagination qui les représente » [24]. Sans l'assistance de l'imagination, l'amour ne serait qu'un attachement sensuel et terrestre ; il ne franchirait pas les limites de l'objet, il ne concevrait aucune perfection au-delà de lui-même et ne nourrirait aucune des illusions qui composent son charme. Au contraire, la passion amoureuse appelle le sentiment de l'éternité et de la transcendance, elle vaut par ses prolongements dans un monde enchanté et fictif. Même si cette invention d'un ailleurs est produite par le délire de l'imagination, elle est nécessaire en ce qu'elle compense les misères d'une réalité précaire et qu'elle substitue la permanence de l'idéal à la discontinuité du réel. Plus un amour est violent, incandescent, plus il tend à se forger une patrie imaginaire. « Qu'un amour forcené se nourrit aisément de chimères ! » [25]. Le véritable amant porte en lui l'archétype, le modèle sacré de l'amour ; son imagination lui propose une idée de la perfection qui entretient l'enthousiasme et les transports de l'amour. C'est en contemplant l'image intérieure de la beauté et de la perfection qu'il préserve la pureté de ses sentiments, qu'il soutient l'exaltation de son amour. « Otez l'idée de la perfection, vous ôtez l'enthousiasme ; ôtez l'estime et l'amour n'est plus rien » [26]. Dans *De l'Amour* Stendhal parlera un langage analogue à celui de Julie, il établira à son tour que l'idée de la perfection, suscitée par l'imagination, est le mobile profond de l'amour et le prétexte de la cristallisation. « Ce n'est que par l'imagination que vous êtes sûr que telle perfection existe chez la femme que vous aimez». «Il suffit alors d'avoir l'idée d'une perfection pour la voir dans ce qu'on aime» [27]. L'idée de la beauté imprime son image dans le cœur de l'amant, mais cette image d'une perfection surnaturelle est susceptible de s'altérer au contact du réel, c'est pourquoi il importe de la défendre de toute corruption extérieure, « de conserver toujours dans sa pureté cette effigie intérieure qui n'a point parmi les êtres sensibles de modèle auquel on puisse la comparer » [28]. Afin de préserver son innocence et son intégrité, l'amour tend à devenir un univers intérieur qui se concentre dans le noyau de sa substance, s'accomplit par la communion des âmes, et non par la rencontre des corps. L'*effigie intérieure* de l'amour dépasse la réalité de l'objet, elle atteint le creux de l'âme et les sources profondes de l'affectivité. « Et j'aimai dans vous, moins ce que j'y voyais que ce que croyais sentir en moi-même », déclare Julie à Saint-Preux [29]. L'être aimé s'efface devant l'image de l'amour, il se métamorphose en une figure idéale qui s'abstrait de la durée et du changement pour se fixer dans le miroir de l'éternité. L'amour assure son salut par un effort de dépouillement, d'intériorisation qui le fait accéder au monde des essences. « De ta part il ne s'agit que d'aimer parfaitement, et tout viendra comme de lui-même » [30], c'est-à-dire que l'amour doit s'identifier avec l'image de la perfection qui habite l'âme humaine. Ce pouvoir d'élévation, contenu dans le feu de l'amour, se conforme en un sens au mouvement de la dialectique platonicienne. Rousseau lui-même nous invite à tenter ce rapprochement puisque « durant le charme », nous dit-il, « la véritable philosophie des Amants est celle de Platon » [31]. Il rejoint la tradition platonicienne en dénonçant l'imperfection des corps et les leurres de la possession charnelle, en célébrant cet enthousiasme de l'amour qui nous emporte au-delà de nous-mêmes, nous détache du terrestre pour nous amener à la contemplation d'un modèle absolu et divin. La passion doit se purifier, dépasser son objet et se dépasser elle-même pour accéder à la transparence de l'éternité et se prolonger dans un univers de beauté. Toutefois Rousseau ne sacrifie pas la personne à l'Idée, comme Platon ; les âmes impérissables des amants sont destinées à se retrouver dans l'autre monde. Et la beauté à laquelle il aspire appartient plus à l'ordre éthique et spirituel qu'à la sphère de l'intelligible.

« N'avez-vous jamais éprouvé ces transports involontaires qui saisissent quelquefois une âme sensible à la contemplation du beau moral et de l'ordre intellectuel des choses, cette ardeur dévorante qui vient tout à coup embraser le cœur de l'amour des célestes vertus, ces sublimes égarements qui nous élèvent au-dessus de notre être et nous portent dans l'empyrée à côté de Dieu même ? » [32]

Il y a chez Jean-Jacques un attachement aux puissances de l'affectivité et une confiance en la vertu de l'imagination qui sont indépendants de la philosophie de Platon. « Le pays des chimères » n'est pas l'univers des Formes pures et immuables, mais une terre céleste créée par les désirs intransigeants de l'imagination. Rousseau est platonicien dans sa conception de l'amour lorsqu'il se réfère à l'idée d'une perfection transcendante et au modèle intérieur de la beauté, lorsqu'il nous invite à saisir « ce simulacre éternel du vrai beau dont la contemplation nous anime d'un saint enthousiasme, et que nos passions souillent sans cesse sans pouvoir jamais l'effacer » [33]. La vertu souveraine de l'amour demeure pourtant la pureté qui *se soutient par elle-même* et se traduit par un hommage rendu à l'être aimé. L'objet de la passion sert de prétexte, non à la vision de l'Idée, mais à un acte d'embellissement. Si l'amour est un feu, selon la métaphore traditionnelle et précieuse, il doit être capable de purifier les penchants naturels et de transfigurer la substance du sentiment. La perfection ne saurait se concevoir sans l'ornement intérieur de la pureté.

« L'amour peut épurer les sens, je le sais ; il est cent fois plus facile à un véritable amant d'être sage qu'à un autre homme : l'amour qui respecte son objet en chérit la pureté; c'est une perfection de plus qu'il y trouve, et qu'il craint de lui ôter. L'amour-propre dédommage un amant des privations qu'il s'impose en lui montrant l'objet qu'il convoite plus digne des sentiments qu'il a pour lui. » [34]

Ainsi l'effacement de l'objet devant l'essence de l'amour ne saurait être absolu, car il anéantirait tout effort d'embellissement de cet objet. Il s'agit de conserver à l'amour et à l'être aimé leur *inaltérable pureté.* Le bonheur de la passion consiste en la découverte d'une relation, d'une concordance entre la personne et les sentiments qu'elle inspire. « C'est que la source du bonheur n'est tout entière ni dans l'objet désiré ni dans le cœur qui le possède, mais dans le rapport de l'un et de l'autre » [35]. La durée de l'amour dépend de la solidité de ces rapports établis soit par le cœur, soit par l'imagination toujours encline à propager l'illusion. « Quand ces rapports sont chimériques, il [l'amour] dure autant que l'illusion qui nous les fait imaginer » [36]. L'emportement des désirs imaginaires « prête à leur objet la possibilité qui lui manque », il l'agrandit et l'idéalise. L'imagination ne se représente pas l'être aimé tel qu'il est, elle le transfigure en l'ornant de vertus chimériques et de prestiges fictifs. Elle lui attribue des perfections qu'il ne possède pas, elle le déforme et l'embellit par une espèce de mensonge involontaire ou d'artifice prescrit par l'enthousiasme de la passion.

« O que les illusions de l'amour sont aimables ! Ses flatteries sont en un sens des vérités : le jugement se tait, mais le cœur parle. L'amant qui loue en nous des perfections que nous n'avons pas, les voit en effet telles qu'il les représente ; il ne ment point en disant des mensonges ; il flatte sans s'avilir, et l'on peut au moins l'estimer sans le croire .» [37]

Ces paroles de Julie annoncent la théorie de la cristallisation telle que l'envisage Stendhal dans *De l'Amour*. La cristallisation est « une certaine fièvre d'imagination » qui idéalise l'être aimé et le revêt de qualités fictives, exceptionnelles ; « c'est l'opération de l'esprit, qui tire de tout ce qui se présente la découverte que l'objet aimé a de nouvelles perfections » [38]. Mais alors que l'imagination, selon Stendhal, « échappe pour toujours à la satiété » et qu'elle ne se lasse d'opérer ses métamorphoses, aussi longtemps qu'elle n'est ni contrariée, ni paralysée par la mémoire, Rousseau retrouve dans l'amour l'ambiguïté fondamentale de l'imagination. Celle-ci n'embellit pas toujours l'être aimé ; avec la complicité du temps, l'écoulement des années, elle en altère le visage ou même l'enlaidit. « On cherche avec étonnement l'objet qu'on aima ; ne le trouvant plus, on se dépite contre celui qui reste, et souvent l'imagination le défigure autant qu'elle l'avait paré » [39]. L'usure et le vieillissement ne sont pas les seuls principes de la décristallisation, il en existe un autre dont l'action est plus immédiate et plus déterminante : la possession. L'union charnelle qui éveille le repentir et le sentiment de la faute entrave la communication des âmes, le trouble des sens fait obstacle au progrès de la cristallisation, parce que la jouissance absolue n'est pas physique, mais imaginative et spirituelle. Il importe de prolonger le plus possible l'accord de l'amour avec l'innocence, de retarder l'instant de la possession qui est la *crise de l'amour*. La recherche de la volupté engendre le dégoût, la déception, elle s'oppose à toute transposition dans la réalité de l'imaginaire. Le précepteur met Emile en garde contre les risques de l'amour physique. « Vous avez plus joui par l'espérance que vous ne jouirez jamais en réalité. L'imagination qui pare ce qu'on désire l'abandonne dans la possession. Hors le seul être existant par lui-même, il n'y a rien de beau que ce qui n'est pas » [40]. Cet avertissement, dicté par une expérience personnelle de l'amour, rejoint les aveux des *Confessions* et les sentiments derniers de Julie. Le plaisir de l'amour n'est pas dans l'acte de la possession, mais dans l'espérance, dans l'attente, dans la tension du désir aiguisé par l'imagination. Le désir entretient l'illusion et le charme de la passion, alors que la possession les détruit. La jouissance physique anéantit les effets de la cristallisation et entrave l'essor de l'imagination. Celui qui possède n'est plus enclin à poétiser l'être aimé, à l'imaginer au-delà de sa réalité.

« On jouit moins de ce qu'on obtient que de ce qu'on espère, et l'on n'est heureux qu'avant d'être heureux. En effet, l'homme avide et borné, fait pour tout vouloir et peu obtenir, a reçu du ciel une force consolante qui rapproche de lui tout ce qu'il désire, qui le soumet à son imagination, qui le lui rend présent et sensible, qui le lui livre en quelque sorte, et pour lui rendre cette imaginaire propriété plus douce, le modifie au gré de sa passion. Mais tout ce prestige disparaît devant l'objet même ; rien n'embellit plus cet objet aux yeux du possesseur ; on ne se figure point ce qu'on voit ; l'imagination ne pare plus rien de ce qu'on possède, l'illusion cesse où commence la jouissance. » [41]

Si Rousseau est porté à exalter les pouvoirs de l'imagination dans les trois premières parties de *La Nouvelle Héloïse*, il est plutôt enclin dans les trois dernières à les limiter et même à en dénoncer les périls. Il est vrai qu'à partir de la quatrième partie Julie subit l'ascendant de M. de Wolmar et de sa sagesse rationnelle, méfiante à l'égard des transports de l'imagination. La passion amoureuse provoque le trouble de l'imagination à qui elle communique une espèce de délire malaisé à contenir et produit en elle, par l'entremise des sens, un échauffement funeste. Julie en est consciente, qui écrit à Saint-Preux : « Je redoute ces emportements trompeurs, d'autant plus dangereux que l'imagination qui les excite n'a point de bornes » [42]. Saint-Preux sait aussi que l'imagination est sujette à l'erreur et au délire mensonger, qu'elle mêle le passé et le présent au point de les identifier dangereusement. Il éprouve comme Jean-Jacques qu'elle « va toujours plus loin que le mal » [43], qu'elle engendre des monstres, invente des périls et des tourments qui égarent l'esprit. Mais, plus que Julie ou Saint-Preux, M. de Wolmar souhaite suspendre l'activité de l'imagination pour libérer l'être des pièges qu'elle lui tend et remédier aux emportements qu'elle lui inspire. Il prétend guérir Saint-Preux, dont l'amour appartient au passé, en *lui ôtant la mémoire* et apaiser l'imagination des deux amants en les remettant en présence l'un de l'autre. L'absence et la séparation raniment les feux chimériques de l'imagination, tandis que la présence les calme et les éteint.

« Peut-être s'ils fussent restés plus longtemps ensemble se seraient-ils peu à peu refroidis ; mais leur imagination vivement émue les a sans cesse offerts l'un à l'autre tels qu'ils étaient à l'instant de leur séparation...

On mène un coursier ombrageux à l'objet qui l'effraie, afin qu'il n'en soit plus effrayé. C'est ainsi qu'il en faut user avec ces jeunes gens dont l'imagination brûle encore quand leur cœur est déjà refroidi, et leur offre dans l'éloignement des monstres qui disparaissent à leur approche. » [44]

La méthode de M. de Wolmar consiste à *donner le change* à l'imagination afin de la contraindre à dominer sa fougue et à écarter le trouble de ses visions. Les amants s'appliquent à pratiquer cette méthode dont ils conçoivent les avantages, de telle sorte que Saint-Preux déclare dans sa dernière lettre à Julie : « Mon imagination toujours troublée ne se calme qu'à votre vue, et ce n'est qu'auprès de vous que je suis en sûreté contre moi » [45]. Pourtant la guérison ne sera jamais totale, les blessures ouvertes par l'imagination ne se cicatriseront jamais parfaitement. Saint-Preux et Julie, tout en se méfiant des écarts de leur imagination, ne cesseront de voir en elle une faculté consolatrice qui compense les insuffisances du réel et transcende l'imperfection du monde. Le sacrifice et la privation qu'ils se sont imposés projettent leur existence dans l'imaginaire et les incitent à se réfugier dans « le pays des chimères ». Bien qu'il reconnaisse la perspicacité des méthodes de Wolmar, Saint-Preux refuse de se priver des secours de son imagination qui le réconforte, le dédommage et le soutient. « Qu'elle abuse mon imagination, que cette erreur me soit douce encore, il suffit pour mon repos qu'elle ne puisse plus vous offenser, et la chimère qui m'égare à sa poursuite me sauve d'un danger réel » [46]. La douloureuse contradiction de l'amour, partagé entre les exigences du réel et l'appel de l'infini, ne se résout que dans la mort ou par l'évasion dans le monde imaginaire. Les amants satisfont leur passion de l'unité et se découvrent une convenance absolue, non sur terre, mais dans les délices de la fiction, puis dans la sphère immuable de l'immortalité. La beauté et l'harmonie auxquelles ils aspirent se réalisent dans un au-delà imaginaire en attendant que l'autre monde leur révèle les perfections de l'éternité. Le dernier mot de *La Nouvelle Héloïse*, celui qui engage le sens profond du roman, est la célèbre affirmation de Julie : « La pays des chimères est en ce monde le seul digne d'être habité, et tel est le néant des choses humaines, qu'hors l'Etre existant par lui-même, il n'y a rien de beau que ce qui n'est pas » [47]. Ce « pays des chimères » n'est pas une Idée conçue par l'intelligence humaine, mais un monde imaginaire qui compense l'imperfection de toute réalité, un refuge moral qui préserve le cristal de la pureté. L'amour s'accomplit dans un ailleurs, dans un univers d'absence que peuple l'imagination, ravie par l'espérance de la beauté et la passion de l'innocence.

Le témoignage des *Confessions* et l'enseignement d'*Emile* concordent au sujet de la naissance et de la nature de l'amour. La passion de l'enfant et de l'adolescent recherche instinctivement la compagnie des objets imaginaires et invente un espace chimérique où elle se meut. Cette tendance à l'idéalisation, acquise dans les temps de l'innocence, se prolonge chez l'adulte qui se forge une image de l'amour à laquelle il demeure invinciblement attaché. Sans le phénomène de la cristallisation, l'amour n'existerait pas ou se réduirait au seul plaisir des sens, il serait privé de toute durée, de toute constance, car les illusions de l'imaginaire sont plus fermes et plus stables que les illusions du réel. Les premières recherchent la permanence, tandis que les secondes restent soumises au changement, à la fragilité du moment et des choses.

« Et qu'est-ce que le véritable amour lui-même, si ce n'est chimère, mensonge, illusion ? On aime bien plus l'image qu'on se fait que l'objet auquel on l'applique. Si l'on voyait ce qu'on aime exactement tel qu'il est, il n'y aurait plus d'amour sur la terre. Quand on cesse d'aimer, la personne qu'on aimait reste la même qu'auparavant, mais on ne la voit plus la même ; le voile du prestige tombe, et l'amour s'évanouit. Or, en fournissant l'objet imaginaire, je suis maître des comparaisons, et j'empêche aisément l'illusion des objets réels. » [48]

Le salut et l'enchantement de l'amour résident dans la représentation idéale que l'on se fait de l'être aimé. Ils supposent la référence à un modèle transcendant de la perfection. L'enthousiasme de l'amour est excité par la passion d'un type imaginaire auquel le cœur voue un attachement durable. Aussi le sentiment de la beauté n'est-il pas engendré par la vue de l'être aimé, il naît de l'idée fictive et de l'image intérieure que l'on conçoit.

« Il n'y a point de véritable amour sans enthousiasme, et point d'enthousiasme sans un objet de perfection réel ou chimérique, mais toujours existant dans l'imagination... Tout n'est qu'illusion dans l'amour, je l'avoue ; mais ce qui est réel, ce sont les sentiments dont il nous anime pour le vrai beau qu'il nous fait aimer. Ce beau n'est point dans l'objet qu'on aime, il est l'ouvrage de nos erreurs. Eh ! qu'importe ? En sacrifie-t-on moins tous ses sentiments bas à ce modèle imaginaire ? » [49]

L'imaginaire, bien qu'illusoire et mensonger d'un certain point de vue, remédie à l'inconstance et à l'indigence du réel. Il est le monde de la figure et de la métaphore, de l'ornement qui poétise les êtres en les revêtant de perfections nouvelles et complémentaires. L'imagination élève la beauté sensible jusqu'à l'ordre souverain de la Beauté, de cette « beauté éternelle, incréée, impérissable, exempte d'accroissement et de diminution » dont parle Platon dans *Le Banquet*. La cristallisation imaginaire est une opération sacrée, elle assure la durée de l'amour, elle en sauvegarde la pureté et en détermine l'essence religieuse.

« Comme l'idolâtre enrichit des trésors qu'il estime l'objet de son culte, et pare sur l'autel le dieu qu'il adore, l'amant a beau voir sa maîtresse parfaite, il lui veut sans cesse ajouter de nouveaux ornements. Elle n'en a pas besoin pour lui plaire ; mais il a besoin, lui, de la parer : c'est un nouvel hommage qu'il croit lui rendre, c'est un nouvel intérêt qu'il donne au plaisir de la contempler. Il lui semble que rien de beau n'est à sa place quand il n'orne pas la suprême beauté » [50].

Il n'est guère surprenant que Rousseau, toujours hanté par l'image idéale de la Femme et par l'existence d'un royaume chimérique de l'amour, ait été séduit par le mythe de Pygmalion épris de Galathée, la statue d'ivoire qu'il a ciselée, puis animée avec l'assentiment d'Aphrodite.

Etre ou chimère inconcevable,

s'interroge-t-il dans un bref poème consacré à la femme. Si Jean-Jacques a d'abord créé la figure de Julie, « cette image si tendre dont je suis le Pygmalion » [51], il a ensuite modelé l'image de Galathée. La légende du sculpteur cypriote lui a inspiré à Môtiers une scène lyrique, exemple saisissant de l'intériorisation d'un mythe dans un siècle qui avait perdu le sens de l'invention poétique. Pygmalion est, en face de son œuvre, vaincu par le désespoir, par le démon de l'impuissance. Ses facultés créatrices sont comme taries. « Tout mon feu s'est éteint, mon imagination s'est glacée, le marbre sort froid de mes mains » [52]. Le sculpteur devient insensible au prestige de son art, indifférent aux sortilèges de la nature dont il croit avoir dépassé les principes. Mais il brûle encore d'une flamme intérieure, d'un secret tourment que lui inspire son œuvre favorite : la statue de Galathée. Afin de la dérober au regard du vulgaire et de la préserver de toute profanation, il l'a dissimulée sous un voile. Soudain il désire la contempler pour apaiser son inquiétude, et, qui sait, pour ressusciter son génie. « Peut-être cet objet ranimera-t-il mon imagination languissante ». Il hésite à découvrir la statue, paralysé qu'il est par la crainte d'enfreindre le sacré, de « toucher au sanctuaire de quelque Divinité ». Lorsqu'il la dévoile, il s'aperçoit que sa Galathée n'est pas une *nymphe*, mais une *déesse* d'une beauté supérieure à toute création naturelle et divine. « Je m'adore dans ce que j'ai fait... Non jamais rien de si beau ne parut dans la nature ; j'ai passé l'ouvrage des Dieux ». Il est d'abord tenté de corriger quelque défaut, puis s'en abstient, car il redoute d'altérer la perfection de sa statue. « Dieux ! je sens la chair palpitante repousser le ciseau !... Ah ! c'est la perfection qui fait son défaut... Divine Galathée ! moins parfaite, il ne te manquerait rien ». Et pourtant il manque à ce marbre d'une froide perfection quelque chose d'essentiel, une âme capable de lui insuffler la vie, de lui imprimer le mouvement. Pygmalion s'éprend de sa Galathée en qui il croit reconnaître un *être vivant* et une incarnation de la beauté. Emporté par une extase des sens et de l'âme, il souhaite sacrifier sa vie pour la communiquer à sa statue et il invoque Vénus, « âme de l'univers », « principe de toute existence », source de l'harmonie universelle et de la passion intérieure, afin qu'elle métamorphose Galathée en un corps doué de vie et de sentiment. Il aspire à « vivre en elle » comme en l'image d'une perfection dépassant les possibilités de la nature.

« Tous tes feux sont concentrés dans mon cœur et le froid de la mort reste sur ce marbre ; je péris par l'excès de vie qui lui manque. Hélas ! je n'attends point un prodige ; il existe, il doit cesser ; l'ordre est troublé, la nature est outragée ; rends leur empire à ses lois, rétablis son cours bienfaisant et verse également ta divine influence. Oui, deux êtres manquent à la plénitude des choses. Partage-leur cette ardeur dévorante qui consume l'un sans animer l'autre. C'est toi qui formas par ma main ces charmes et ces traits qui n'attendent que le sentiment et la vie ».

Vénus exauce la prière du sculpteur ; Galathée s'anime grâce au « prestige d'un amour forcené », elle acquiert le sentiment de l'existence et la conscience du moi. Pygmalion accomplit à travers elle la plénitude de son désir. « Je t'ai donné tout mon être ; je ne vivrai plus que par toi ». La passion de l'imaginaire et le rêve de la beauté idéale se sont miraculeusement incarnés dans une créature désormais vivante.

On a proposé de cette scène lyrique une interprétation narcissique : Pygmalion représenterait l'amour de soi ou plus exactement l'amour de sa création, la tendance à s'identifier avec son œuvre et l'impossibilité de s'en détacher. Le sculpteur est amoureux de sa statue comme Narcisse l'est de son image réfléchie par le miroir des eaux ; il devient prisonnier de cette œuvre qui le comble et le définit [53]. Cette explication psychanalytique rend compte des rapports que Rousseau entretient avec son œuvre, mais limite le sens mythique de *Pygmalion*. Galathée est avant tout une créature de songe, une représentation plastique de la femme idéale, du modèle absolu de la perfection telle que l'imagination la conçoit. Elle est la création d'un *amour forcené*, de cette passion véhémente que Jean-Jacques éprouve pour les êtres imaginaires. Elle représente la beauté corporelle habitée par la beauté spirituelle, elle figure l'idée de la perfection et suggère à l'esprit la vision d'un univers chimérique. « Il est trop heureux pour l'amant d'une pierre de devenir un homme à visions », dit Pygmalion avant que se produise la métamorphose de Galathée. La statue est si parfaite qu'elle porte atteinte à l'ordre de la nature, qu'elle l'*outrage* et le discrédite ; elle surpasse et le monde et les dieux parce qu'elle symbolise la réalité souveraine de l'imaginaire. « Déesse de la beauté, épargne cet affront à la nature, qu'un si parfait modèle soit l'image de ce qui n'est pas ». Pierre Burgelin commente cette phrase en ces termes :

« Par un renversement bien curieux, l'œuvre humaine est devenue un modèle pour l'œuvre divine. Ou plus exactement, parce que l'imagination a su déchiffrer le type de la parfaite beauté physique et son rapport nécessaire aux yeux de la conscience avec la perfection de l'âme, nous sommes en droit d'attendre que la valeur descende de son ciel pour achever son incarnation, en un mouvement inverse de celui qui établira la nécessité de l'immortalité de l'âme et des rémunérations futures » [54].

Galathée, plus exemplairement que Julie, résout le conflit du réel et de l'imaginaire. Elle est un être chimérique, incarné et animé par la puissance du désir. L'imagination contraint ses créatures à exister dans l'espace et le temps ; elle invente un modèle idéal auquel elle impose, avec la complicité du miracle, de vivre dans une âme et un corps. Si les frontières entre le fictif et le réel s'effacent en Galathée, c'est que l'imagination du sculpteur a vaincu la matière. Pygmalion aurait pu prendre à son compte cette parole de Stendhal : « Toujours une chose imaginée est une chose existante » [55]. « Le pays des chimères » n'est pas uniquement quelque empyrée consolateur, l'envers du pays des préjugés dans lequel nous sommes accoutumés à vivre, mais une réalité absolue à laquelle nous accédons par l'imagination, une évidence intérieure qui attise les feux purs de l'amour. Il inspire la nostalgie d'une communication secrète et sensible, le tourment de l'âge d'or disparu et l'espérance de l'immortalité.

CHAPITRE V

Langage et imagination

Barbarus hic ego sum.
OVIDE

Plusieurs « philosophes » français du XVIIIe siècle ont été préoccupés par le problème de l'origine et de la nature du langage : l'abbé de Condillac dans l'*Essai sur l'origine des connaissances humaines* (1746), Denis Diderot dans la *Lettre sur les sourds et muets* (1751), puis Jean-Jacques Rousseau dans son *Discours sur l'origine de l'inégalité parmi les hommes* et son *Essai sur l'origine des langues.* Le *Discours* parut en 1755, tandis que l'*Essai* ne fut publié qu'en 1781 dans les œuvres posthumes. Mais on s'accorde à admettre que Rousseau le composa à la même époque que le second *Discours* et qu'il lui apporta certaines modifications vers 1761 et 1763. Le fait qu'au XVIIIe ce soient Condillac, Diderot et Rousseau qui aient envisagé le problème du langage avec le plus d'attention et d'autorité n'est pas dû au hasard. Rousseau, lié avec Condillac alors que celui-ci rédigeait l'*Essai sur l'origine des connaissances humaines*, présenta l'ouvrage à Diderot qui se chargea de la publication. Ainsi que le rapporte Jean-Jacques au livre VII des *Confessions*, les trois amis avaient pris l'habitude de se réunir une fois la semaine pour dîner dans un hôtel du Palais-Royal. Il est permis de supposer qu'au cours de ces entretiens ils échangèrent leurs idées sur la fonction du langage et que l'*Essai* de Condillac stimula la pensée de Diderot et de Rousseau. Une certaine communauté de pensée entre les trois philosophes — communauté qui n'exclut ni les divergences, ni l'originalité de chacun — le témoignage de Rousseau et la chronologie de ces essais attestent l'apport déterminant de Condillac.

Les idées des philosophes français du XVIIIe siècle impliquent de se référer à la conception cartésienne du langage. Selon

Descartes, les hommes seuls possèdent le pouvoir de « composer un discours par lequel ils fassent entendre leurs pensées »[1]. L'invention des signes du langage et l'organisation de la parole constituent un acte privilégié par lequel l'homme exprime la logique de sa pensée. La philosophie de Descartes établit qu'il existe une concordance parfaite entre l'idée et l'expression ; les mots représentent avec exactitude l'essence des êtres et des choses, le langage revêt une portée universelle en signifiant clairement le monde de la pensée. « La vérité cartésienne est donc que le langage est fait pour signifier les idées et que c'est de là qu'il tire sa valeur universelle »[2]. Les mots traduisent des idées qui représentent fidèlement le réel saisi par l'intelligence, aussi le langage procède-t-il de la pensée logique et ne doit-il rien à l'impulsion des passions. « On ne doit pas confondre les paroles avec les mouvements naturels, qui témoignent les passions »[3]. Il n'est guère surprenant que Descartes ait rêvé d'une langue universelle, élémentaire, limitée à un vocabulaire fondamental et apte à représenter toute chose. La philosophie cartésienne propose du langage une conception purement rationnelle et géométrique ; soucieuse de chercher l'expression adéquate aux idées claires et distinctes, elle affirme à tort que les mots adhèrent à la réalité objective et méconnaît la valeur figurative du langage. Elle réduit la parole à la fonction d'instrument de la raison et omet de considérer le rôle du sentiment, des passions et du milieu social. Ce sont précisément les facteurs que les penseurs du XVIIIe siècle s'appliqueront à mettre en évidence.

Tout en restant tributaire des méthodes de l'analyse logique, Condillac renouvelle le problème de la nature du langage dans son *Essai sur l'origine des connaissances humaines.* Bien qu'il refuse le système des idées innées, il admet l'innéité du langage et subordonne l'exercice de la pensée au progrès du verbe. Le langage qui remonte à une origine naturelle est antérieur à la réflexion. Ce sont l'évolution et le perfectionnement de la langue qui déterminent le raisonnement et développent les facultés de l'analyse. Condillac distingue dans cette évolution deux aspects successifs : le langage d'action et le langage des sons articulés. Le premier, plus ancien et instinctif, est gestuel ; il exprime les actions et les mouvements, les sentiments et les cris de la passion par des moyens immédiats. Le langage des gestes traduit les états de la vie intérieure en recourant à des *signes naturels*. Au contraire, la parole ou langage des sons articulés repose sur une convention ; née de l'urgence des passions et des besoins, elle s'exprime par la voix et l'usage des *signes d'institution*, choisis arbitrairement par l'homme pour communiquer ses idées et ses sentiments. Le langage primitif ou gestuel progresse par le « commerce réciproque » des êtres, il concourt au développement des facultés de l'âme : la perception, la mémoire et l'imagination ; mais peu à peu l'emploi des signes substitue la réflexion à l'instinct. Le besoin, la pratique et l'habitude créent un langage articulé, calqué sur le langage d'action.

« Cependant ces hommes ayant acquis l'habitude de lier quelques idées à des signes arbitraires, les cris naturels leur servirent de modèle pour se faire un nouveau langage. Ils articulèrent de nouveaux sons, et, en les répétant plusieurs fois, et les accompagnant de quelque geste qui indiquait les objets qu'ils voulaient faire remarquer, ils s'accoutumèrent à donner des noms aux choses. » [4]

Pendant une certaine période les deux langages — le geste et la parole — furent utilisés simultanément, puis le second prévalut et s'imposa pour des raisons de commodité : il rendait la communication plus aisée et répondait mieux aux exigences de la vie sociale.

Bien qu'il ait été éclipsé, le langage d'action conserve le prestige de l'unité originelle et ignore les méfaits de la dissociation. Il demeure le modèle, l'archétype d'après lequel la langue des sons s'est formée ; il est le principe de toute création humaine, « le germe des langues et de tous les arts qui peuvent servir à exprimer nos pensées ». Le langage gestuel a engendré la musique et la danse, la poésie et l'éloquence, la parole et l'écriture. S'il manque encore de précision et d'exactitude, il est riche par son pouvoir de suggestion, sa valeur métaphorique, ses qualités plastiques et musicales. La langue primitive est « très propre à exercer l'imagination » ; elle dépend de cette faculté, seule capable d'inventer les signes nécessaires à l'expression de la pensée et des sentiments. Aussi les arts, la musique et la poésie en particulier, n'étaient-ils pas dissociés à l'origine, mais constituaient une totalité qui fut rompue par l'invention de l'écriture. Le premier style continua pourtant à associer poésie et musique, à tirer sa vigueur expressive de l'emploi des images. « Le style, dans son origine, a été poétique, puisqu'il a commencé par peindre les idées avec les images les plus sensibles »[5]. La langue parlée et écrite fut liée au langage de l'action, tant qu'elle fit une part au sous-entendu, à l'indécision suggestive, tant qu'elle fut « extrêmement figurée et métaphorique ». L'usage des symboles et des images est un élément fondamental des langues primitives.

Selon Condillac, le passage du langage gestuel à la parole s'est produit sous l'impulsion de sentiments, tels que la crainte et la souffrance, mais plus encore par la pression des besoins physiques. Les besoins, nécessaires à la conservation de l'être et à la communication, sont les agents créateurs de la parole.

« Dans l'établissement des sociétés, les hommes ne pouvaient point encore s'occuper des choses de pur agrément, et les besoins qui les obligeaient de se réunir bornaient leurs vues à ce qui pouvait leur être utile ou nécessaire...

Ce sont les besoins qui fournirent aux hommes les premières occasions de remarquer ce qui se passait en eux-mêmes, et de l'exprimer par des actions, ensuite par des noms. Ces observations n'eurent donc lieu que relativement à ces besoins, et on ne distingua plusieurs choses qu'autant qu'ils engageaient à le faire. »[6]

Les besoins suscitent les progrès du langage et en déterminent la fonction sociale. Engendré par le sentiment, la nécessité pratique et les exigences de la société, le langage se perfectionne avec l'assistance de la raison. Les hommes inventèrent d'abord les noms qui définissent les objets et les substances, puis les adjectifs et les adverbes, destinés à préciser les qualités sensibles.

Ensuite ils découvrirent les verbes pour traduire les actions et les états intérieurs, enfin les termes abstraits, les notions générales qui, dans la perspective sensualiste de Condillac, procèdent de la dénomination des objets. L'évolution et le perfectionnement du langage dépendent de la force créatrice des sensations et du déploiement de la réflexion logique. Condillac observe toutefois que « l'analyse et l'imagination sont deux opérations si différentes qu'elles mettent ordinairement des obstacles aux progrès l'une de l'autre »[7]. C'est pourquoi il distingue deux langues : une langue poétique, figurée, qui parle à l'imagination et perpétue le langage originel de l'action, puis une langue géométrique, analytique, adaptée aux progrès de la pensée logique et à l'avènement de la civilisation. Si la conciliation de la langue des poètes et de celle des géomètres était possible, on disposerait d'un instrument parfait, d'un langage capable de satisfaire l'imagination et la raison, de répondre aux besoins de la science moderne et aux exigences du génie métaphorique.

La conception du langage que propose Condillac dans l'*Essai sur l'origine des connaissances humaines* est inspirée par un souci pratique et psychologique. Tout en cherchant à montrer la liaison fondamentale entre les idées et les signes, il prétend retracer « l'histoire naturelle » et sociale du langage. Il a le mérite d'expliquer clairement le passage des signes naturels aux signes de convention et de définir leur part respective dans l'établissement du langage. Mais il accorde à la communication sociale une prépondérance discutable et subordonne la pensée au langage qui devient une institution correspondant à la satisfaction des besoins physiques. Son adhésion à la psychologie sensualiste lui masque la fonction des besoins spirituels et le pouvoir de transcendance contenu dans le langage humain.

Bien que la *Lettre sur les sourds et muets* de Diderot n'ait guère influencé Rousseau et qu'elle soit un exposé moins systématique que l'*Essai* de Condillac, elle mérite de retenir l'attention, car elle exprime des idées attachantes sur l'essence du langage. Diderot s'inspire de la doctrine de Condillac, mais adopte une attitude plus résolument empiriste, perceptible déjà dans la *Lettre sur les aveugles*. Les signes du langage, nécessaires à la communication, n'ont pas été institués par une démarche abstraite de la pensée, mais par des moyens empiriques et avec le concours des organes sensibles.

« L'unité pure et simple est un symbole trop vague et trop général pour nous. Nos sens nous ramènent à des signes plus analogues à l'étendue de notre esprit et à la confrontation de nos organes. Nous avons même fait en sorte que ces signes pussent être communs entre nous, et qu'ils servissent, pour ainsi dire, d'entrepôt au commerce mutuel de nos idées. » [8]

L'expérience permet de comparer les sensations que l'on éprouve, de vérifier l'exactitude des rapports ou des analogies que l'on perçoit. L'analogie assure le passage de la sensation à l'idée, dépasse le niveau du monde sensible « par une suite de combinaisons fines et profondes » afin d'établir la continuité entre les « objets non sensibles et les idées qu'ils excitent » ou entre les idées et les signes qui les représentent. Quant au langage, Diderot le considère comme une création du génie pratique et de l'instinct social des hommes. Puisque la fonction primordiale du langage est « la communication de la pensée », Diderot associe l'invention des signes à la naissance des idées : « Les mots dont les langues sont formées ne sont que les signes de nos idées. » Il admet, à la suite de Condillac, que le langage évolue de la sensation à l'analyse, c'est-à-dire qu'il procède de la perception des objets et tend progressivement à exprimer « la perception des rapports ». Il se précise peu à peu, recherche l'exactitude et la clarté, satisfait aux nécessités de la raison et de la science. Les progrès du langage attestent que le plaisir spontané de la sensation doit être complété par le plaisir de la réflexion. Aussi est-il naturel que l'homme ait nommé en premier les objets et les êtres, puis les qualités sensibles des choses et des individus, enfin les notions générales et métaphysiques. Diderot résume sa pensée en distinguant deux stades dans l'évolution du langage : l'*ordre naturel* qui définit le mode des langues primitives et l'*ordre scientifique* ou *ordre d'institution*, caractérisé par l'emploi de l'inversion et apte à traduire les étapes du raisonnement. Toutefois ce langage rationnel a été institué à partir de la langue gestuelle. C'est pourquoi l'élaboration du langage scientifique s'éclaire par l'étude de l'expression métaphorique des gestes, par l'observation du passage des signes naturels aux signes oratoires.

Plus engagé que Condillac dans la pensée philosophique de son siècle, Diderot est persuadé de « l'imperfection originelle des langues » et il le prouve en développant sa théorie des trois états du langage. Si l'on fait abstraction du langage animal, le premier état est celui de *naissance*, un mélange de gestes et de mots qui n'est encore soumis à aucune organisation syntaxique. L'état de *formation* dispose au contraire des « signes oratoires nécessaires pour tout exprimer », il introduit les genres et les cas de même que la conjugaison. Quant au troisième état ou état de *perfection*, il est déterminé par le souci de l'harmonie, par la volonté de concilier la clarté et le rythme de l'expression. Cette loi des trois états du langage distingue la *Lettre sur les sourds et muets* de l'*Essai* de Condillac. Mais la véritable originalité de Diderot est ailleurs. A côté de ce langage pratique et rationnel, fondé sur la convention et les nécessités de la communication sociale, Diderot discerne un autre langage, plus intime et mystérieux, celui de la poésie et des arts [9]. Ce langage secret ne procède pas de la raison, mais de l'imagination, il est *emblématique*, use d'images et de symboles, d' « expressions hiéroglyphiques », difficiles à déchiffrer. Après avoir affirmé que « toute poésie est emblématique », Diderot précise que « l'intelligence de l'emblème poétique n'est pas donnée à tout le monde ». Il ne suffit pas de comprendre les hiéroglyphes de la poésie, il faut les sentir, si l'on veut en pénétrer le mystère. L'emblème constitue l'essence de la poésie, il en rend la lecture ardue et la traduction impossible à qui est dépourvu d'imagination. L'hiéroglyphe n'est d'ailleurs pas le privilège de la poésie ; la peinture et la musique utilisent également le mode d'expression emblématique. Et Diderot invite l'esthéticien à étudier les analogies qui existent entre les hiéroglyphes imaginés par le poète, le peintre et le musicien.

« Rassembler les beautés communes de la poésie, de la peinture et de la musique ; en montrer les analogies ; expliquer comment le poète, le peintre et le musicien rendent la même image ; saisir les emblèmes fugitifs de leur expression ; examiner s'il n'y aurait pas quelque similitude entre ces emblèmes, etc., c'est ce qui reste à faire. »[10]

Ces lignes d'une si surprenante intuition annoncent les recherches sur la correspondance des arts qui préoccuperont Balzac, Baudelaire, Mallarmé, Rimbaud et les poètes de l'époque symboliste. En outre, cette conception emblématique de l'art préfigure les expériences de l'hermétisme poétique et légitime les efforts de ceux qui sont persuadés que le langage vaut par la vertu de sa symbolique.

*

* *

Les idées de Rousseau sur la nature et la fonction du langage s'écartent sensiblement du matérialisme du XVIIIe siècle. Jean-Jacques qui reproche à ses contemporains de « matérialiser les opérations de l'âme » se refuse à expliquer l'origine du langage par le fonctionnement de nos organes, la sollicitation de nos besoins physiques ou les instances de la communication. Puisque le primitif est un isolé et qu'il ignore l'institution de la société, toute hypothèse fondée sur la prédominance de l'instinct social est dénuée d'autorité. Dans son *Essai* Condillac suppose l'existence d' « une sorte de société établie entre les inventeurs du langage ». Ce sont là des prémices que Rousseau ne saurait accepter : elles supposent de se représenter l'état de nature en fonction de l'état social, c'est-à-dire de juger des origines en se référant à l'actualité. En acceptant l'affirmation de Condillac,

Rousseau se serait mis en contradiction avec sa thèse fondamentale. Aussi n'est-il guère étonnant qu'il ait formulé une hypothèse personnelle qui restitue au langage son sens moral et spirituel. Cet effort, bien qu'inachevé, a contribué à libérer la philosophie du langage de l'emprise du sensualisme.

Dans son *Discours sur l'origine de l'inégalité* Rousseau rétablit l'antériorité de la pensée : ce n'est pas le langage qui crée la pensée, mais plutôt la pensée qui sert de principe au langage. L'invention et l'usage de la parole impliquent l'exercice de la pensée. « Si les hommes ont eu besoin de la parole pour apprendre à penser, ils ont eu bien plus besoin encore de savoir penser pour trouver l'art de la parole » [11]. Toutefois, la parole ne constitue pas le stade premier du langage ; la langue primitive, purement instinctive et antérieure aux besoins de la communication, se borne à exprimer « le cri de la nature ». « Le premier langage de l'homme, le langage le plus universel, le plus énergique, et le seul dont il eut besoin avant qu'il fallût persuader des hommes assemblés, est le cri de la nature » [12]. Lorsque les hommes sortirent de leur isolement naturel et cherchèrent à communiquer, ils eurent recours à la langue des gestes et des « cris inarticulés ». Le langage visuel consistait à désigner les objets par le geste et la mimique, tandis que le langage auditif se traduisait par les premières « inflexions de la voix » et l'émission de « sons imitatifs ». Après avoir éprouvé les limites de ces moyens, les hommes inventèrent des « sons articulés et conventionnels ». Ils substituèrent aux signes naturels les signes d'institution, propres à figurer le contenu des idées. Ainsi l'établissement de la famille et de la société n'a pas créé l'usage de la parole, il a contribué à le développer et à le perfectionner. La parole procède d'une source naturelle, soit qu'elle dépende d'une faculté innée, soit qu'elle remonte à une origine divine, ainsi que le suggère l'affirmation de Rousseau : « La parole paraît avoir été fort nécessaire pour établir l'usage de la parole. » L'élaboration du langage suppose une prise de conscience, elle est régie par une convention qui définit le choix et l'usage des signes. Le langage de la communication résulte d'un pacte, d'une disposition arbitraire, assez analogue au contrat qui fixe les rapports entre les membres d'une même communauté.

Les premiers substantifs avaient la valeur de noms propres et les mots étaient l'équivalent d'une proposition ou d'une phrase. L'homme, incapable encore d'établir des catégories et ignorant la propriété des substances, parlait un langage passionnel, musical et figuré. Il méconnaissait la faculté d'abstraire et de généraliser, se bornait à définir les êtres et les choses à l'aide de termes particuliers, sans se préoccuper des relations entre les objets. « Chaque objet reçut d'abord un nom particulier, sans égard aux genres et aux espèces, que ces premiers instituteurs n'étaient pas en état de distinguer ; et tous les individus se présentèrent isolément à leur esprit, comme ils le sont dans le tableau de la nature » [13]. Mais comment le primitif en vint-il à concevoir l'abstraction, si étrangère à son esprit ? Rousseau propose de ce phénomène une explication nominaliste : les notions abstraites dépendent des pouvoirs du langage. Ce sont les mots qui permettent de former et de traduire les idées générales. Puisque l'imagination n'engendre que des images particulières, l'intelligence recourt au langage pour produire des idées qui se réalisent par l'entremise de la parole. « Toute idée générale est purement intellectuelle ; pour peu que l'imagination s'en mêle, l'idée devient aussitôt particulière... Il faut donc énoncer des propositions, il faut donc parler, pour avoir des idées générales : car, sitôt que l'imagination s'arrête, l'esprit ne marche plus qu'à l'aide du discours. » [14] Le langage, après avoir créé les idées abstraites, tend vers la généralisation et la classification de ses éléments. A la suite d'une évolution dont il est impossible de mesurer la durée, l'homme découvrit les nombres et les termes abstraits, les conjugaisons des verbes et les lois de la syntaxe. Peu à peu le langage se soumit à l'ordre logique, devint arbitraire, conventionnel, apte à traduire le parcours du raisonnement. Il s'adressa plus à l'intelligence qu'au cœur, exprima mieux les idées que les sentiments. S'il gagna en précision, en exactitude, il perdit en revanche de sa vivacité, de son énergie et de son intensité. Il s'adapta aux exigences de la raison et de la société.

Dans le *Discours sur l'origine de l'inégalité* Rousseau ne prétend pas résoudre les difficultés relatives au principe du langage, il pose des jalons, il s'interroge sur la nature de ces difficultés, mais ne cherche pas à imposer une solution. En face des obstacles qu'il rencontre, il se demande s'il n'est pas préférable d'admettre l'hypothèse de la révélation de la parole. L'origine du langage demeure si mystérieuse qu'elle appelle l'intervention de la Providence. Rousseau en conclut que le problème dépasse notre entendement et que la parole est un don inné ou un privilège consenti par Dieu aux hommes.

« Quant à moi, effrayé des difficultés qui se multiplient et convaincu de l'impossibilité presque démontrée que les langues aient pu naître et s'établir par des moyens purement humains, je laisse à qui voudra l'entreprendre la discussion de ce difficile problème ; lequel a été le plus nécessaire, de la société déjà liée à l'institution des langues, ou des langues déjà inventées à l'établissement de la société. »

Bien que Rousseau ne tranche pas ici nettement le dilemme, son œuvre et sa pensée précisent qu'il incline vers la seconde hypothèse : le langage est antérieur à la formation de la société et son invention s'explique soit par des causes naturelles, soit par l'action créatrice de Dieu. On objectera que Rousseau affirme dans *Emile :* « Toutes nos langues sont des ouvrages de l'art » et dans sa *Lettre à M. de Beaumont :*

« Le langage humain n'est pas assez clair. Dieu lui-même, s'il daignait nous parler dans nos langues, ne nous dirait rien sur quoi l'on ne pût disputer.

Nos langues sont l'ouvrage des hommes, et les hommes sont bornés. Nos langues sont l'ouvrage des hommes, et les hommes sont menteurs. »

Ces déclarations ne contredisent pourtant pas le contenu du deuxième *Discours*. En effet, la citation de l'*Emile* ne doit pas être isolée de son contexte qui établit l'existence d'un langage naturel, utilisé par l'enfant et le primitif. « On a longtemps cherché s'il y avait une langue naturelle et commune à tous les hommes ; sans doute, il y en a une ; et c'est celle que les enfants parlent avant de savoir parler. Cette langue n'est pas articulée, mais elle est accentuée, sonore, intelligible. » [15] En outre, Rousseau prend soin de distinguer les langues du langage. Si les langues sont, dans leur diversité, une invention du génie humain, le langage en tant que « faculté propre à l'homme » est de création divine. Selon l'*Essai sur l'origine des langues*, « Adam avait été instruit par Dieu même », mais ce premier langage universel disparut avec l'institution de la société. « La langue commune périt avec la première société. Cela serait arrivé quand il n'y aurait jamais eu de tour de Babel. On a vu dans des îles désertes des solitaires oublier leur propre langue. » [16] La perte de la langue primitive n'est pas imputable à l'orgueil humain ou aux effets de la faute originelle, mais à l'organisation sociale et à la dénaturation qu'elle produit. Quelles que soient les créations humaines dans l'ordre du langage, le principe de la parole émane de Dieu [17]. Cet appel à la transcendance divine pour éclaircir les origines du langage peut-il s'identifier avec le point de vue chrétien ? Je ne le pense pas. Certes Rousseau se réfère au témoignage de l'Ecriture et il estime que son explication de la naissance du langage par des causes naturelles ne contredit pas l'enseignement de la Bible. Il cherche à concilier l'autorité de *La Genèse* et de la tradition avec ses hypothèses personnelles sur l'histoire primitive de l'humanité. Mais il est soucieux de rester indépendant à l'égard de la dogmatique chrétienne, et, s'il est porté à admettre l'origine sacrée du langage, il méconnaît l'incarnation du Verbe. Tel Descartes, préoccupé d'assurer la vérité rationnelle, Rousseau introduit Dieu dans sa philosophie du langage pour résoudre les difficultés auxquelles il se heurte. Dieu n'est pas affirmé au départ, mais appelé pour assurer les fondements de la parole et garantir la cohérence du langage. Par delà la multiplicité des langues existe une unité fondamentale du langage, nécessaire à toute expression littéraire et artistique. « De toutes les unités, il n'y en a point de plus indispensable que celle du langage » [18]. Mais Rousseau pose cette exigence d'unité sans en expliquer l'origine, tandis que, pour le chrétien, elle est voulue par Dieu, elle commande à la genèse de l'univers et se renouvelle exemplairement dans l'incarnation du Verbe.

Si le *Discours sur l'origine de l'inégalité* établit que le commerce des hommes a contribué à créer « un idiome commun », l'*Essai sur l'origine des langues* [19] réduit encore le rôle de la société dans la formation du langage. La parole qui différencie l'homme de l'animal est « la première institution sociale », mais elle « ne doit sa forme qu'à des causes naturelles ». Le langage, tant gestuel que vocal, procède de la nature, il est une faculté, une aptitude qui incite l'homme à user de ses organes pour traduire sa pensée. Les organes ne créent pas le langage, ils sont mus par le pouvoir inné de la parole. « L'invention de l'art de communiquer nos idées dépend moins des organes qui nous servent à cette communication, que d'une faculté propre à l'homme, qui lui fait employer ses organes à cet usage, et qui, si ceux-là lui manquaient, lui en ferait employer d'autres à la même fin » [20]. La langue des gestes est la plus directe, la plus expressive, énergique et musculaire, elle agit sur l'imagination par l'intermédiaire des signes visuels, tandis que la langue des sons, plus passionnée, répond mieux à la communication affective et restitue plus exactement les nuances du sentiment. L'expression des mouvements est antérieure à la parole, mais les deux langages, visuel et sonore, sont naturels, puisqu'ils dépendent d'un même instinct et qu'ils traduisent tous deux la pensée et le sentiment par « l'institution des signes sensibles ». En revanche, ils ne sont pas issus de la même origine : le langage gestuel est né des besoins, alors que les passions ont engendré le langage articulé. L'invention de la parole ne s'explique pas par l'instance des nécessités physiques, mais des « besoins moraux » et des passions. Le primitif ne raisonne pas, il éprouve des sentiments d'amour ou de haine, de miséricorde ou d'indignation qu'il traduit à l'aide des mots.

« On nous fait du langage des premiers hommes des langues de géomètres, et nous voyons que ce furent des langues de poètes.

» Cela dut être. On ne commença pas par raisonner, mais par sentir. On prétend que les hommes inventèrent la parole pour exprimer les besoins ; cette opinion me paraît insoutenable. » [21]

Ce sont la fraîcheur et l'énergie des passions, la spontanéité du plaisir et du sentiment qui ont créé la parole. Le langage est un instrument affectif et moral, il ne deviendra utilitaire et rationnel qu'avec l'établissement de la société.

Le langage s'est socialisé par une lente et fatale évolution qui a contraint les hommes à s'assembler pour se prêter assistance. « Les associations d'hommes sont en grande partie l'ouvrage des accidents de la nature » [22]. Les phénomènes naturels, les catastrophes cosmiques ont groupé les hommes en tribus et fortifié leur instinct de conservation. L'alternance des saisons, l'utilisation de l'eau et du feu, la constitution des premières familles, l'éveil du désir et des passions amoureuses ont opéré des rapprochements et perfectionné les langues domestiques. Enfin la naissance de la réflexion a précipité l'évolution du langage ; la communication, d'affective qu'elle était, est devenue intellectuelle et sociale. La parole ne traduit plus seulement des sentiments, mais des idées, elle s'adresse davantage à l'intelligence et à la raison qu'au cœur. Le langage acquiert plus d'exactitude, de clarté et de précision. Il se fixe par l'emploi des signes conventionnels, mais se rationalise et s'appauvrit. Le progrès intellectuel et social perfectionne l'art de l'écriture et du style au détriment de la parole, de la vertu expressive du langage. « L'écriture, qui semble devoir fixer la langue, est précisément ce qui l'altère ; elle n'en change pas les mots, mais le génie ; elle substitue l'exactitude à l'expression. L'on rend ses sentiments quand on parle, et ses idées quand on écrit. » [23] L'écriture est certes la représentation de la parole, mais elle la représente imparfaitement puisqu'elle lui enlève sa vigueur, sa densité, et qu'elle ne rend pas les inflexions magiques de la voix. En se précisant, le langage s'est refroidi, il est devenu un instrument logique, soumis à l'échange des idées ; sa charge affective et son pouvoir d'incantation se sont affaiblis, sa vertu musicale et son sens métaphorique se sont altérés. Convaincu de la dégradation du langage, Rousseau s'est demandé quels étaient les éléments fondamentaux de la langue originelle et s'il était moyen de les reconquérir.

Le langage primitif est surtout expressif, il utilise les ressources non encore dissociées de la poésie et de la musique, de la figure et de l'harmonie. Langue particulière, concrète, passionnée, irrationnelle, elle abonde en synonymes « pour exprimer le même être par ses différents rapports » ; elle imite les impressions sensibles et les mouvements des passions, recourt volontiers à l'onomatopée et à l'interjection. Elle est colorée par la variété de ses accents, pauvre en articulations, mais riche par la qualité du nombre et des sons. Si elle méconnaît les subtilités de la syntaxe et de l'analyse logique, elle se distingue par son contenu poétique, le foisonnement de son vocabulaire et de ses images. Le premier langage humain est poétique et figuré. Selon Rousseau, la poésie précède la prose et le sens figuré est antérieur au sens propre, de même que le sentiment naît avant la raison. La passion transpose naturellement les mots et les idées, c'est pourquoi elle use de la figure qui consiste « dans la translation du sens ». D'abord figurée, la langue devient *métaphorique*, lorsque la conscience intervient et révèle le caractère *illusoire* des images engendrées par la passion. Mais de toute manière le premier langage est immédiat et traduit les mouvements de la passion par l'entremise des figures et des métaphores.

« Le langage figuré fut le premier à naître ; le sens propre fut trouvé le dernier. On n'appela les choses de leur vrai nom que quand on les vit sous leur véritable forme. D'abord on ne parla qu'en poésie, on ne s'avisa de raisonner que longtemps après.

Non seulement tous les tours de cette langue devraient être en images, en sentiments, en figures ; mais dans sa partie mécanique elle devrait répondre à son premier objet, et présenter aux sens, ainsi qu'à l'entendement, les impressions presque inévitables de la passion qui cherche à se communiquer. »[24]

Le propre de ce langage est d'établir une communication spontanée, de former des images adéquates à l'énergie du sentiment et de peindre les objets à l'imagination. Cette représentation est possible parce que les sensations sont liées à « des causes morales » et aux sentiments de l'âme. Les sensations ne sont pas purement physiques, elles affectent l'homme « comme signes ou images » qui affectent à leur tour l'esprit et le cœur. Le langage est représentation par la vertu de ses images et par son rayonnement métaphorique. Ce pouvoir figuratif, emblématique, constitue la poésie naturelle du langage.

La langue primitive n'est pas uniquement poétique, mais aussi musicale, puisque la poésie et la musique sont nées avec le langage et que « les vers, les chants, la parole, ont une origine commune ». La passion communique au langage une mesure, un rythme et des inflexions semblables à ceux de la mélodie. Le sentiment s'exprime par des figures, mais également par des sons et des signes auditifs. « La mélodie est un langage comme la parole », écrit Rousseau dans son *Examen de deux principes avancés par M. Rameau.* La mélodie n'était à l'origine pas dissociée de la parole, mais incorporée au langage auquel elle donnait son intensité. Comme la métaphore, elle traduit les élans de la passion et les affections spirituelles. Les sons, de même que les images et les couleurs, exercent une action morale, ils remplissent une fonction symbolique et signifiante. « Les couleurs et les sons peuvent beaucoup comme représentations et signes, peu de chose comme simples objets des sens »[25]. Ils composent un langage qui s'adresse aux facultés de l'âme, à la mémoire et à l'imagination. Cette union de la poésie et de la musique à la faveur du langage, sensible encore dans le grec ancien, a été rompue par les progrès de la raison analytique et le perfectionnement de l'harmonie. L'harmonie, c'est-à-dire l'élément technique et rationnel de la musique, a introduit la division, affaibli la puissance expressive de la mélodie, opéré une scission entre le chant et la parole. Selon Rousseau, la langue a dégénéré en devenant logique, et la musique en se fondant sur la prédominance de l'harmonie. La communauté d'origine du langage et de la mélodie a été brisée par les prétentions croissantes de la science rationnelle.

« Ainsi la mélodie, commençant à n'être plus si adhérente au discours, prit insensiblement une existence à part, et la musique devint plus indépendante des paroles. Alors aussi cessèrent peu à peu ces prodiges qu'elle avait produits lorsqu'elle n'était que l'accent et l'harmonie de la poésie, et qu'elle lui donnait sur les passions cet empire que la parole n'exerça plus dans la suite que sur la raison. » [26]

Avant cette rupture, introduite par les progrès de la technique et de l'analyse, le langage associait naturellement la poésie et la musique, la métaphore et le rythme. Tant qu'il demeure passionnel, il est créateur d'images et de sons, de figures et d'accents qui expriment les nuances des affections, ébranlent le cœur et l'imagination. Chez le primitif, de même que chez l'enfant, l'éveil de la sensation et du sentiment précède la naissance de l'entendement. L'imagination, la faculté de se représenter les choses absolument, indépendamment de toute relation, est antérieure à la conception des idées et des rapports.

« Avant l'âge de raison l'enfant ne reçoit pas des idées, mais des images ; et il y a cette différence entre les unes et les autres, que les images ne sont que des peintures absolues des objets sensibles, et que les idées sont des notions des objets, déterminées par des rapports. Une image peut être seule dans l'esprit qui se la représente ; mais toute idée en suppose d'autres. Quand on imagine, on ne fait que voir ; quand on conçoit, on compare. » [27]

L'emprise de la pensée logique sur le langage est fatale et nécessaire ; elle est impliquée par l'accroissement de la société et les découvertes de la civilisation. La raison assure la cohérence, la solidité du langage, elle établit les liaisons sur lesquelles il se fonde. Mais elle est responsable d'avoir dissocié la parole de la musique, la prose des vers, d'avoir éloigné les signes et les images des objets qu'ils représentent. La pensée logique a ordonné les formes du langage, mais elle en a détruit l'énergie et altéré le pouvoir d'expression.

Jean-Jacques a toujours éprouvé la nostalgie de cette langue originelle, proche du « cri de la nature », riche en figures et en sons, persuasive par la magie des gestes et des signes. Ce langage est plus émouvant, plus vigoureux que le langage rationnel, il crée entre les êtres une communication plus immédiate, parce qu'il touche le cœur et l'imagination sans passer par le crible de l'intelligence.

« Une des erreurs de notre âge est d'employer la raison trop nue, comme si les hommes n'étaient qu'esprit. En négligeant la langue des signes qui parlent à l'imagination, l'on a perdu le plus énergique des langages. L'impression de la parole est toujours faible, et l'on parle au cœur par les yeux bien mieux que par les oreilles. En voulant tout donner au raisonnement, nous avons réduit en mots nos préceptes ; nous n'avons rien mis dans les actions. La seule raison n'est point active ; elle retient quelquefois, rarement elle excite, et jamais elle n'a rien fait de grand. Toujours raisonner est la manie des petits esprits. Les âmes fortes ont bien un autre langage ; c'est par ce langage qu'on persuade et qu'on fait agir. » [28]

La langue des signes, utilisée par les anciens, est plus dynamique, persuasive et énergique que la langue rationnelle, parce qu'elle s'adresse au cœur et enflamme l'imagination en proposant la vision instantanée de l'objet. « L'objet qu'on expose aux yeux ébranle l'imagination, excite la curiosité, tient l'esprit dans l'attente de ce qu'on va dire » [29]. Le langage primitif passe sans heurt, sans coupure, de la chose au signe, il ne sépare pas le signe de l'objet représenté, mais établit entre eux une relation immédiate, une correspondance et même une véritable identité. Alors que le langage rationnel est de nature utilitaire et profane, le langage des signes préserve le sacré et respecte le sens religieux de l'objet. Il se produit dans l'ordre du sentiment un phénomène analogue. Chez le primitif et l'enfant, la parole est à l'origine purement sensible, affective, elle traduit spontanément le contenu de l'émotion et se confond avec lui.

« Au début, la parole n'est pas encore le signe conventionnel du sentiment ; elle est le sentiment lui-même, elle transmet la passion sans la transcrire. La parole n'est pas un paraître distinct de l'être qu'elle désigne : le langage originel est celui où le sentiment *apparaît* immédiatement tel qu'il *est*, où l'essence du sentiment et le son proféré ne font qu'un. » [30]

La langue des signes, adéquate à la nature de l'objet et du sentiment, est un langage pur, immédiat, qui atteint le centre de l'âme et suscite le rayonnement de l'imagination. Elle correspond à cette expression absolue de la vérité que Rousseau a inlassablement cherchée afin d'apaiser son tourment de la sincérité.

Mais est-il moyen de remonter le cours du temps pour retrouver ce langage originel, comme enfoui par les progrès de la civilisation ? De même qu'il est impossible de réintégrer l'état de nature et de revivre la simplicité des temps primitifs, l'écrivain ne parvient pas à redécouvrir le langage élémentaire des signes. Ce langage direct et visuel, soustrait aux lois de la syntaxe et aux servitudes de l'écriture, ignore la censure de la conscience, il n'a pas besoin d'être déchiffré ou interprété, il n'est pas soumis au contrôle de l'intelligence logique. La langue moderne et le style ont perdu ce caractère d'immédiateté, ils ne peuvent plus s'exprimer par le moyen des signes naturels et sont contraints de recourir au système des signes de convention. Il s'agit d'une fatalité historique, commandée par l'évolution de la langue et de la société, par les besoins de la raison et les exigences de la création littéraire. D'ailleurs si « de toutes les unités, il n'y en a point de plus indispensable que celle du langage », cette unité et cette cohérence ne peuvent plus être garanties par l'intensité de la passion ou du sentiment, elles supposent l'intervention de la conscience. Tandis que la représentation verbale est chez le primitif plus ou moins indépendante de la connaissance, dans l'état de civilisation et dans l'acte créateur elle est liée à une prise de conscience, au travail ordonnateur et critique de l'intelligence [31].

Bien que le langage originel échappe à notre portée, il est encore possible de réduire la distance qui sépare le signe de l'objet, l'image de son modèle. Même si la représentation verbale est devenue indirecte et médiate, l'écrivain peut remédier à la coupure que l'intelligence produit entre le sentiment et la parole. En effet, l'homme sent avant de concevoir des idées, l'action de la sensibilité précède le fonctionnement de la pensée. « Je sentis avant de penser ; c'est le sort commun de l'humanité. Je l'éprouvai plus qu'un autre. »[32] Chez l'enfant et certains êtres, le sentiment s'éveille avant l'intelligence et la sensibilité conserve la prédominance sur la raison. Le sentiment se définit chez Rousseau par sa vivacité, sa promptitude et son immédiateté, alors que la pensée est soumise à un cheminement sinueux et tardif. Le sentiment *brûle* et *éblouit* Jean-Jacques, il est subit et affranchi de la durée ; les idées au contraire s'élaborent difficilement, elles mûrissent par *fermentation*, avec le concours du temps. A la faveur de ce décalage entre le sentiment et la pensée, peut-être l'écrivain parvient-il à saisir et exprimer le contenu de l'émotion. La langue métaphorique a le pouvoir d'appréhender spontanément quelque parcelle de la réalité ou quelque affection sensible. Elle peint les objets et les états intérieurs à l'imagination avec plus d'énergie et de soudaineté que la langue rationnelle. Le rapprochement du signe et de la chose représentée peut se produire instantanément grâce à l'étincelle de l'image, le courant magnétique qui relie l'émotion à la parole n'est pas interrompu par la censure de la raison. Mais cette immédiateté de l'image est un phénomène privilégié qui n'a lieu ni à volonté, ni constamment. Rousseau avoue dans ses *Confessions* qu'il est frappé le plus souvent par l'apparence des choses, par *le signe extérieur*, aussi est-il obligé, si l'étincelle de l'image ne jaillit pas d'emblée, de se référer au souvenir ou à ce qu'il appelle *le signe mémoratif.* Lorsque la perception sensible manque de cette intensité primesautière, indispensable à l'essor de l'imagination, l'écrivain se fie aux pouvoirs de la réminiscence et attend que la mémoire lui propose les signes révélateurs. L'imagination ne s'enflamme pas alors au contact de l'objet, mais utilise les données secondes du souvenir avant d'imprimer l'idée ou le sentiment dans le moule du langage [33].

Quel que soit le mode qu'il utilise, celui du signe immédiat ou celui du *signe mémoratif*, Rousseau pense et s'exprime comme le primitif, l'enfant, le poète, sous la forme de l'image. « Toutes mes idées sont en images », dit-il au livre IV des *Confessions* et dans *De l'Imitation théâtrale*, inspirée de Platon : « Le poète est le peintre qui fait l'image. » Le feu de l'imagination ne se communique au langage que par l'intermédiaire de l'image ; ce sont la figure et la métaphore qui rendent le style plastique et musical, qui déterminent son énergie verbale, son pouvoir de suggestion. La brûlure de l'imagination opère de soudains rapprochements entre les objets et anime le style comme un flot de lave incandescente. « Pour peu qu'on ait de chaleur dans l'esprit, on a besoin de métaphores et d'expressions figurées pour se faire entendre » [34]. Le langage de la passion, qu'il s'agisse de la passion amoureuse ou mystique, est « toujours figuré », il l'est par nature puisqu' « il rend tous ses sentiments par images », précise la seconde préface de *La Nouvelle Héloïse*. La métaphore ne restitue pas seulement la substance du sentiment, elle traduit aussi la beauté morale de la vie rustique, la réconciliation de l'homme et de la nature. « La philosophie champêtre doit être toute en sentiments, en images » [35]. Le langage métaphorique, comme la musique, s'exprime par ellipses, il ne dit pas tout, ne peint pas directement les objets, il suggère leur présence et les affections qu'ils suscitent. Il ne reproduit pas le modèle de l'objet, mais l'image créée par la représentation de l'objet, les impressions et les sentiments que cette représentation éveille dans le monde intérieur. « L'art du musicien consiste à substituer à l'image insensible de l'objet celle des mouvements que sa présence excite dans le cœur du contemplateur... Il ne représentera pas directement ces choses, mais il excitera dans l'âme les mêmes sentiments qu'on éprouve en les voyant. » [36] Cette observation ne s'applique pas exclusivement à la musique, mais aussi à l'œuvre littéraire dans la mesure où elle se fie à la puissance verbale de l'image et aux ressources énergétiques du langage.

S'il est difficile, comme le souhaite André Breton, de « rendre le verbe humain à son innocence et à sa vertu créatrice originelles »[37], l'écrivain peut, en se fondant sur le pouvoir emblématique de l'image, retrouver quelque chose de cette *innocence* et de cette *vertu créatrice*, propres au langage primitif. Si la métaphore ne permet pas de récupérer totalement les pouvoirs originels de l'esprit, elle peut en redécouvrir des éléments, saisir des parcelles de la *matière première* qui constitue l'essence et le charme du langage. L'image, par la charge affective de poésie et de musique qu'elle contient, se soustrait aux lois de la logique et exprime l'immédiateté de l'émotion. « Tout ce que l'imagination peut se représenter est du ressort de la poésie »[38]. Cette poésie, enfantée par l'imagination, est la part du langage des origines que l'écrivain a le pouvoir de réinventer. C'est à travers elle, à travers la soudaineté de l'image, qu'il ressuscite le feu pur du sentiment.

Au début des *Dialogues* Jean-Jacques se plaît à imaginer un retour à la langue des signes. Dans le « monde enchanté » qu'il invente, les hommes parlent peu et ne composent guère de livres, ils communiquent par le moyen d'un langage intime et ésotérique. « Des êtres si singulièrement constitués doivent nécessairement s'exprimer autrement que les hommes ordinaires. Il est impossible qu'avec des âmes si différemment modifiées, ils ne portent pas dans l'expression de leurs sentiments et de leurs idées l'empreinte de ces modifications. »[39] Les habitants de cette terre idéale sont des *initiés*, ils n'usent pas de la langue commune, mais d'« un signe caractéristique » grâce auquel ils se reconnaissent et se distinguent des autres. Le langage du signe est immédiat et mystérieux, absolument authentique, parce qu'« il ne peut se contrefaire » et que « jamais il n'agit qu'au niveau de sa source ». Il est la parole du cœur et de l'imagination, l'expression sincère et privilégiée des affections spirituelles, il est *senti* et touche l'âme de ceux qui en éprouvent la puissance magique. La langue des signes n'est plus, ainsi que dans les temps primitifs, le partage de tous les hommes, elle n'est plus destinée qu'à un cercle d'initiés, doués d'une ardente sensibilité et soucieux de préserver la vérité de leurs sentiments. Quant au langage logique et social, il est devenu plus propre à traduire le développement de la pensée qu'à exprimer les nuances du sentiment. Il a perdu cette aptitude spontanée à signifier le vif enchantement de l'émotion.

« Les idées se présentent d'ordinaire aux gens d'esprit en phrases tout arrangées ; il n'en est pas ainsi des sentiments. Il faut chercher, combiner, choisir un langage propre à rendre ceux qu'on éprouve, et quel est l'homme sensible qui aura la patience de suspendre le cours des affections qui l'agitent pour s'occuper à chaque instant de ce triage. Une violente émotion peut suggérer quelquefois des expressions énergiques et vigoureuses ; mais ce sont d'heureux hasards que les mêmes situations ne fournissent pas toujours. » [40]

Il faudrait sensibiliser le langage et le dépouiller de ses qualités d'abstraction. Mais une telle entreprise est-elle réalisable au niveau de la civilisation moderne ? Seuls le cœur et l'imagination peuvent désormais remonter à la genèse du langage, rejoindre l'âge d'or de la musique et de la poésie, illuminé de l'innocence des passions et arrosé de la fraîcheur éternelle du verbe.

*

* *

Quel crédit peut-on accorder aujourd'hui aux idées de Rousseau sur l'origine et la nature du langage ? Il faudrait être linguiste et ethnologue pour répondre valablement à cette question. C'est pourquoi je me bornerai à quelques remarques permettant d'esquisser un jugement. Il importe en premier lieu de rappeler que Rousseau ne se préoccupe ni d'entreprendre une enquête historique, ni d'utiliser la méthode empirique. Bien qu'il ait consulté certaines relations de voyages en Amérique, il ne cherche nullement à restituer la vérité historique, il élabore des conjectures en s'appuyant sur le raisonnement analytique et sur sa conception de l'homme et du monde.

> « Il ne faut pas prendre les recherches, dans lesquelles on peut entrer sur ce sujet, pour des vérités historiques, mais seulement pour des raisonnements hypothétiques et conditionnels, plus propres à éclaircir la nature des choses qu'à en montrer la véritable origine, et semblables à ceux que font tous les jours nos physiciens sur la formation du monde. » [41]

Celui qui s'interroge sur l'origine du langage ou du monde dépasse la réalité empirique, aussi use-t-il nécessairement de l'hypothèse, des conjectures que lui suggèrent son intuition et son imagination.

Les travaux de la sociologie et de l'ethnologie modernes nous autorisent à adresser deux objections précises au système de Rousseau : il limite à l'excès le rôle du fait social dans la formation des langues et méconnaît le caractère sacré du langage originel. Il est désormais établi que la vie mentale des primitifs est, à sa manière, aussi fortement socialisée que la nôtre. Elle est soumise à l'homogénéité de la tribu, à la rigueur des lois, des rites et de la tradition. La langue est à son tour tributaire de la réalité sociale et du besoin de la communication, elle est fondée, selon les termes de Lévy-Bruhl, « sur un ensemble de représentations collectives », c'est-à-dire de représentations qui s'imposent à un groupe social et se transmettent par l'autorité de la tradition. Le langage articulé est associé à la notion de collectivité ou tout au moins de société réduite. Claude Lévi-Strauss l'affirme en ces termes dans ses *Entretiens :* « Le langage est un phénomène de groupe, il est constitutif du groupe, il n'existe que par le groupe ». Il correspond, selon l'optique de l'ethnologie, à la naissance de l'état social, il appartient à l'ordre de la culture et non à celui de la nature, ou plutôt, en tant qu'instrument de la civilisation, il détermine la frontière qui sépare la culture de la nature. « L'émergence du langage est en pleine coïncidence avec l'émergence de la culture »[42]. Imbu de l'idée de l'isolement naturel de l'homme, Rousseau ne pouvait discerner l'importance du fait social dans la mentalité primitive. De même la philosophie du XVIIIe siècle et son système personnel lui ont masqué la fonction religieuse du langage. Il n'a pas observé que les langues primitives étaient douées de propriétés mystiques, de vertus magiques, que les mots étaient porteurs de forces occultes et sacrées. Puisque le primitif ne dissocie pas la matière de l'esprit, la nature de la surnature et qu'il se représente toute chose en fonction de la *loi de la participation*, il confère nécessairement au langage un sens religieux, un pouvoir de charme et d'incantation. Ce sera l'une des tâches de l'illuminisme, à la fin du XVIIIe et au début du XIXe, de redécouvrir l'essence sacrée du langage dont le siècle philosophique avait perdu la notion. Claude de Saint-Martin, Joseph de Maistre et Fabre d'Olivet rappelleront que les signes du langage humain sont issus de principe divin de la Parole et qu'ils expriment un contenu religieux.

Ces lacunes n'empêchent pas que les hypothèses de Rousseau sur les fondements du langage témoignent d'une singulière acuité d'intuition. Le *Discours sur l'origine de l'inégalité* et l'*Essai sur l'origine des langues* établissent que la connaissance analogique est antérieure à la connaissance analytique, que la pensée et le langage du primitif ne sont ni conceptuels, ni dialectiques, mais concrets et rebelles à l'abstraction. La mentalité primitive, dite *prélogique*, répugne à élaborer des notions générales, elle s'exprime par le truchement de l'image et s'attache au particulier. Elle est inapte à substituer à la vision réelle ou métaphorique de l'objet une idée générale et abstraite. L'esprit du primitif est sensible aux particularités concrètes ; la représentation, plus sentie en lui que réfléchie, est imagée et mythique, elle dépend, non de l'intelligence logique, mais de la mémoire et de l'affectivité. Ce sont l'organisation sociale et la culture qui ont introduit l'abstraction dans le langage. A la suite de Condillac,

Rousseau observe que le langage originel est poétique, expressif et musical, qu'il se fonde sur les pouvoirs de la sensibilité individuelle et l'emploi instinctif de la métaphore. « Une métaphore se crée d'elle-même dans l'esprit du primitif lorsqu'un objet nouveau se présente à sa vue »[43]. L'image est le moyen d'expression le plus naturel, le plus immédiat, elle incarne les forces du langage. Le primitif use des mots dans leur sens spécifique, il forge des *concepts-images*, des expressions métaphoriques, calquées sur la réalité de l'objet. Avant d'être pratique ou conceptuel, le langage est intime, affectif et poétique en ce sens qu'il identifie le moi avec l'univers, qu'il crée un espace mythique par le seul prestige de l'image et du symbole.

Rousseau considère à bon droit le cri de l'instinct comme l'expression première de la parole. Il a vraisemblablement raison d'affirmer que le langage visuel ou gestuel est antérieur au langage auditif ou articulé. Le primitif utilise une langue plus instinctive que volontaire et réfléchie, plus proche des lois de la nature que des lois de l'organisation sociale. La parole est pour lui un chant et un cri solitaire, un signal ou un appel, avant d'être un moyen d'échange, un dialogue. J. Vendryès qui se réfère à l'*Essai sur l'origine des langues* émet à son tour l'hypothèse «indémontrable», mais non « dénuée de vraisemblance » que le langage primitif est «un produit naturel de l'activité humaine»:

« Chez cet ancêtre lointain, dont le cerveau était encore impropre au raisonnement, le langage a pu commencer par être purement émotif. Ç'aurait été à l'origine un simple chant rythmant la marche ou le travail des mains, un cri comme celui de l'animal exprimant la douleur ou la joie, manifestant une crainte ou un appétit. Puis, le cri, pourvu d'une valeur symbolique, aurait été considéré comme un signal, capable d'être répété par d'autres ; et l'homme trouvant à sa portée ce procédé commode, l'aurait utilisé pour communiquer avec ses semblables, prévenir ou provoquer un acte de leur part. Avant d'être un moyen de raisonner, le langage a dû être en effet un moyen d'action, et l'un des plus efficaces dont l'homme pût disposer... Les éléments du cri ou du chant se trouvaient ainsi pourvus d'une valeur symbolique que chaque individu retenait pour son usage personnel. »[44]

Rousseau n'a pas, comme la plupart de ses contemporains, réduit la parole à un phénomène purement social et à une fonction utilitaire. Certes le langage devient un agent de communication entre les consciences, mais il traduit aussi le contenu de l'émotion et l'accent des passions, il s'associe au fonctionnement de la pensée et réfléchit les mouvements de l'âme. A une époque où prédominait le matérialisme, Jean-Jacques a reconnu que, si l'on séparait le langage de la pensée et de l'affectivité, on l'amputait de sa fonction spirituelle. Il a compris que le langage n'est pas uniquement un instrument pratique, mais qu'il possède une existence et un pouvoir autonomes, qu'il est animé par une force créatrice et qu'il exprime une vision absolue du monde. Par l'entremise du langage, Rousseau espérait abolir l'action du temps et se libérer des fatalités de l'histoire, afin de retrouver la perfection des origines, de ressusciter les aubes de la création et de reconquérir la pureté de toute genèse. Il s'agissait pour lui d'une aventure intérieure, d'une véritable quête, inspirée par la certitude du cœur et conduite par le feu de l'imagination.

CHAPITRE VI

L'âge d'or est insulaire

Le paradis est caché au fond de chacun de nous.
DOSTOÏEVSKY

Bernardin de Saint-Pierre résume son parallèle entre Voltaire et Rousseau en affirmant que la philosophie du premier est « celle des gens heureux » et que le second est « le philosophe des malheureux ». On pourrait ajouter que le système des gens heureux rejette la croyance à l'âge d'or et se confine dans la jouissance du temps présent, tandis que la pensée des malheureux cherche volontiers une compensation dans la poésie sacrée du siècle d'or ou de l'au-delà. Il n'y a pas de vrai paradis, il ne s'agit là que d'une pure fiction poétique, prétendent les sceptiques, les esprits réalistes et positifs, tandis que les esprits chimériques, les imaginatifs et les poètes, habités par une certitude intérieure, sont hantés par la quête anxieuse d'un paradis qu'ils situent soit dans le passé, soit dans le futur. Ces deux attitudes marquent bien l'opposition fondamentale de Voltaire et de Rousseau. Dans une lettre de 1736, Voltaire traite l'âge d'or d'*absurdité* et de *sottise*, il considère ce mythe ou cette croyance comme un simple regret du « bon vieux temps », une nostalgie stérile du « jardin de nos premiers parents », comme une légende inventée de toutes pièces par des imaginations chagrines. « On se vit souvent malheureux, et on se forgea l'idée d'un temps où tout le monde avait été heureux »[1]. Voltaire qui est tout à fait privé du sens du sacré se complaît dans le *temps profane*, au milieu du luxe et de l'oisiveté, parmi les plaisirs et les ornements du progrès. Il résout en épicurien sceptique le problème du paradis et de l'âge d'or, ainsi qu'en témoignent le poème *Le Mondain* et sa célèbre conclusion :

Et vous, jardin de ce premier bonhomme,
Jardin fameux par le diable et la pomme,

C'est bien en vain que, par l'orgueil séduits,
Huet, Calmet dans leur savante audace,
Du paradis ont recherché la place :
Le paradis terrestre est où je suis.

Jean-Jacques, au contraire, repousse la philosophie morale de son siècle, « cette commode philosophie des heureux et des riches qui font leur paradis en ce monde » [2], il lui reproche d'avoir identifié l'âge d'or avec le présent, avec la délectation de l'instant profane et fugitif. La réalité historique et contemporaine, profondément discordante, entachée du mal social, s'est dépouillée de tous les vestiges de l'âge d'or ; la terre « dont la nature eût fait le premier paradis de l'homme » a perdu sa vertu sacrée, est devenue indigne d'être habitée pendant l'éternité. Et Rousseau de s'écrier dans *Emile :* « Si l'on nous offrait l'immortalité sur la terre, qui est-ce qui voudrait accepter ce triste présent ? » [3]. Bien que le siècle d'or ait disparu, qu'il ait été aboli par l'évolution de la société et de l'histoire, qu'il ait acquis, sous l'action du temps, un sens imaginaire ou mythique et qu'il ait été relégué par la philosophie des lumières dans le musée des chimères, on ne saurait lui refuser pour autant le prestige de l'existence. La croyance à l'âge d'or ne s'explique pas, comme le souhaite Voltaire, par le seul regret du « bon vieux temps », elle correspond à une nostalgie profonde de l'innocence et de l'éternité perdues, à un besoin religieux de communiquer avec le monde de la transparence et de la liberté. Elle est l'expression du désir de se soustraire au temps, de s'affranchir de l'histoire pour rejoindre la perfection des origines, recouvrer l'unité du primordial et de l'élémentaire, revivre le moment intemporel de la Genèse ou même, selon l'image de Mircea Eliade, pour « réintégrer l'instant auroral d'avant la Création » [4]. Il s'agit là d'une tendance permanente de l'esprit humain, d'une impulsion mystique, commune à la plupart des religions de l'Orient et de l'Occident. Le mythe de l'âge d'or est associé à l'espoir invincible de revivre par l'imagination les enfances du monde et de reconquérir le paradis perdu ; il se confond avec l'aspiration humaine à la vertu et au perfectionnement intérieur, ainsi que le remarque Rousseau à propos de son *Discours sur les sciences et les arts :* « On m'assure qu'on est depuis longtemps désabusé de la chimère de l'âge d'or. Que n'ajoutait-on encore qu'il y a longtemps qu'on est désabusé de la chimère de la vertu » ? [5] Opposé à la philosophie de son temps, Rousseau n'a jamais consenti à repousser la croyance au siècle d'or, il en a fait au contraire une des pierres angulaires de son système, une des certitudes fondamentales sur lesquelles s'est appuyée sa réflexion morale et religieuse. Refuser le mythe de l'âge d'or, c'est tuer en l'homme l'esprit de l'enfance, c'est anéantir tout espoir de liberté et d'innocence, toute aspiration à rejoindre l'unité primitive de l'être et à retrouver le langage des origines.

Tout me porte à considérer que la hantise de l'âge d'or est l'un des thèmes majeurs de l'œuvre de Rousseau, que la quête et la vision du paradis ont commandé plusieurs étapes de sa vie et de sa réflexion. Jean-Jacques a connu à Bossey la simplicité, l'unité et la transparence intérieure qui définissent les saisons dorées de l'enfance. Mais il y a aussi éprouvé que cet état paradisiaque est fragile, qu'il se corrompt et se perd. Le paradis terrestre n'est pas une condition permanente, acquise une fois pour toutes, il s'altère par l'irruption de la conscience du mal et du mensonge. Tel Adam, l'enfant est, à un moment donné, exclu du paradis, le sentiment de son innocence se dénature, le paysage s'obscurcit et la beauté du monde s'occulte.

« Nous restâmes encore à Bossey quelques mois. Nous y fûmes comme on nous représente le premier homme encore dans le paradis terrestre, mais ayant cessé d'en jouir. C'était en apparence la même situation, et en effet une tout autre manière d'être... Tous les vices de notre âge corrompaient notre innocence et enlaidissaient nos jeux. La campagne même perdit à nos yeux cet attrait de douceur et de simplicité qui va au cœur. Elle nous semblait déserte et sombre ; elle s'était comme couverte d'un voile qui nous en cachait les beautés » [6].

Pourtant Rousseau n'a jamais renoncé à l'espoir de reconquérir, par instants, l'état édénique, perdu au sortir de l'enfance. Il a tenté aux Charmettes d'accorder l'amour et l'innocence dans un rêve idyllique aspirant à recréer le paradis sur la terre. La résurrection de la nature au printemps et la perspective du retour aux Charmettes l'emplissaient d'une joie céleste. « Revoir le printemps était pour moi ressusciter en paradis »[7]. A Venise, la révélation de la musique italienne le jeta dans l'extase. Un soir qu'il s'était endormi à l'opéra, il fut réveillé par l'inexprimable douceur d'une mélodie. « Ma première idée fut de me croire en Paradis »[8]. Dans la forêt et le parc de Montmorency, il redécouvrit les prestiges de la solitude qui procure l'apaisement de la conscience et une félicité édénique. « L'enfer du méchant est d'être réduit à vivre seul avec lui-même, mais c'est le paradis de l'homme de bien, et il n'y a point pour lui de spectacle plus agréable que celui de sa propre conscience »[9]. Ce fut dans l'enthousiasme de cet isolement insulaire et paradisiaque qu'il acheva la composition d'*Emile* dont le livre cinquième lui fut dicté par l'espoir chimérique de recréer l'âge d'or de l'amour.

« C'est dans cette profonde et délicieuse solitude qu'au milieu des bois et des eaux, aux concerts des oiseaux de toute espèce, au parfum de la fleur d'orange je composai dans une continuelle extase le cinquième livre de l'*Emile* dont je dus en grande partie le coloris assez frais à la vive impression du local où je l'écrivais.

... J'étais là dans le Paradis terrestre ; j'y vivais avec autant d'innocence, et j'y goûtais le même bonheur. »[10]

Confiné dans l'île de Saint-Pierre, il s'est persuadé qu'il y retrouvait, dans la retraite, les vestiges sacrés du paradis perdu. Durant toute son existence, il a regardé la nature comme le miroir d'un monde disparu de la transparence et de la perfection, de l'innocence et de la plénitude. La contemplation de l'eau, de la végétation, de la verdure des champs et des forêts lui a suggéré l'image des temps primitifs, de l'enfance et de la virginité du monde. La vision de l'eau et des arbres a toujours ébranlé l'imagination de Rousseau, elle l'incitait à se construire une terre d'élection qui soit une réminiscence du siècle d'or révolu. De même la marche, l'errance à travers la nature, le goût de l'herborisation et le contact avec ce que Jean Starobinski appelle « les amitiés végétales » [11] n'ont cessé de ranimer en lui l'image d'un monde antérieur, illuminé par les feux d'une immuable aurore.

L'œuvre de Rousseau, comme sa vie, est dominée par la vision intérieure de l'âge d'or, d'un univers de la simplicité originelle, de la sagesse et de l'innocence primitives. Lorsqu'il se rendit au donjon de Vincennes pour rendre visite à Diderot et qu'il lut la question mise au concours par l'Académie de Dijon, il eut une véritable illumination qu'il décrit en ces termes :

> « Une malheureuse question d'Académie qu'il lut dans un *Mercure* vint tout à coup désiller ses yeux, débrouiller ce chaos dans sa tête, lui montrer un autre univers, un véritable âge d'or, des sociétés d'hommes simples, sages, heureux, et réaliser en espérance toutes ses visions, par la destruction des préjugés qui l'avaient subjugué lui-même, mais dont il crut en ce moment voir découler les vices et les misères du genre humain. » [12]

Cette révélation subite n'a pas seulement dicté à Rousseau le *Discours sur les sciences et les arts*, elle lui a inspiré le *Discours sur l'origine de l'inégalité* et l'*Essai sur l'origine des langues* qui contiennent tous deux les éléments d'une description de l'âge d'or.

Conscient que le siècle d'or est désormais inaccessible et que l'homme est incapable d'opérer un retour aux origines, Rousseau propose dans *La Nouvelle Héloïse* un mode de vie qui soit à la portée de ses contemporains : l'existence rustique et patriarcale susceptible de remédier partiellement à l'effacement de l'innocence originelle. Hanté par le souvenir mythique des bergers d'Arcadie, par les songes dorés de *L'Astrée* et du *Télémaque*, il prétend restaurer dans son siècle le temps pastoral, fait d'indépendance et de simplicité, d'attachement à la terre et d'union mystique avec la sérénité de la nature. Julie souhaite découvrir, entre l'amour et la pureté, la nature et la vertu, une harmonie qui rappelle le bonheur pacifique de l'âge d'or. « L'accord de l'amour et de l'innocence me semble être le paradis sur la terre »[13]. Mais Julie éprouve que cet accord est impossible à réaliser dans un monde terni par la faute sociale. C'est plutôt par une correspondance intime avec la *nature végétale* que l'homme retrouve les vestiges du paradis. La vie champêtre parmi les ruisseaux, les bosquets, la verdure et les ombrages, vouée aux travaux du jardin, des champs et de la vendange évoque mieux que toute autre existence les parfaites délices du paradis perdu. L'Elysée de Julie se présente comme une espèce de raccourci terrestre du jardin d'Eden et l'ouvrage du cultivateur offre une image approximative de la condition primitive et frugale de l'humanité.

> « Le travail de la campagne est agréable à considérer... C'est la première vocation de l'homme, il rappelle à l'esprit une idée agréable, et au cœur tous les charmes de l'âge d'or. L'imagination ne reste point froide à l'aspect du labourage et des moissons. La simplicité de la vie pastorale et champêtre a toujours quelque chose qui touche. »[14]

La Nouvelle Héloïse ne suggère pas un retour impossible à l'état de nature, mais la réminiscence de l'âge d'or, le souvenir d'un temps qui exalte l'imagination, incite l'âme et le cœur à sauvegarder la vertu de l'innocence, la quintessence même de la pureté.

Emile, ce « traité de la bonté originelle de l'homme », est aussi inspiré par la nostalgie d'un état de perfection inaccessible et disparu. Rousseau se préoccupe de protéger l'*homme de la nature* de la contamination sociale, de préserver en lui l'esprit d'enfance, la *forme originelle* menacée par la puissance et l'organisation tentaculaire de la société. Lui qui « jusqu'à la fin de sa vie... ne cessera d'être un vieux enfant »[15] cherche à montrer dans *Emile* que l'homme peut conserver la forme de l'enfance en harmonisant ses désirs et le pouvoir de ses facultés. Il parvient à maintenir cet équilibre entre ses passions et ses facultés en refusant la morale de la dispersion et de la disponibilité, en s'appliquant à se circonscrire, à se concentrer dans les limites naturelles de l'être. Avant Baudelaire, Rousseau adopte le parti de *la centralisation du Moi* contre celui de *la vaporisation.* La plénitude consiste à resserrer son existence autour du noyau de l'être, à sauvegarder l'identité du moi, à tenter d'être soi *sans contradiction* et *sans partage.* Perpétuer en l'homme le paradis de l'enfance, c'est lutter contre tout pouvoir de rupture, d'altération ou de division afin de ressusciter constamment l'unité primitive. L'éducation d'Emile a pour objet primordial de rapprocher l'enfant de cette *unité numérique*, de cet *entier absolu* qui constitue l'essence de l'être originel. Elle tend à prolonger, dans la vie et en amour, la durée de l'innocence qui demeure le signe de l'état paradisiaque. Le précepteur, après avoir achevé sa tâche, dit à Emile : « Jouis à la fois de l'amour et de l'innocence ; fais ton paradis sur la terre en attendant l'autre » [16].

Quant aux *Confessions* et aux *Dialogues*, ils retracent l'épopée d'un tempérament romanesque et imaginatif, d'un cœur enclin à se nourrir de fictions, à se soustraire à l'emprise du réel pour se réfugier dans « le pays des chimères ». Ils montrent comment de façon sincère et parfois tragique l'âme de Rousseau, désespérant de l'ici-bas, se réfère à un au-delà idéal et enchanté, tantôt s'enferme dans la vision d'un empyrée réparateur de ses tourments, tantôt aspire à une condition céleste où toutes les contradictions humaines s'effaceraient et où le moi spirituel, détaché des entraves matérielles et sociales, jouirait du bonheur de son autonomie. Elle se plaît dans la contemplation des espaces éthérés, dans la société d'êtres imaginaires qu'elle invente au gré de sa fantaisie et de ses désirs les plus profonds. « Tous ses goûts, toutes ses passions ont ainsi leurs objets dans une autre sphère » [17]. Il ne s'agit pas d'une évasion gratuite ou uniquement d'un effort pour compenser les insuffisances du réel, mais d'une tendance innée, d'un besoin fondamental, d'un appel intérieur anquel il ne saurait se dérober. « Est-ce ma faute si j'aime ce qui n'est pas ? » avoue-t-il dans *Emile* [18]. Et dans les *Confessions :* « Je pouvais m'enfoncer à mon gré dans le pays des chimères » [19]. De même, dans sa correspondance, Rousseau dénonce à plus d'une reprise ce goût invincible de construire des châteaux en Espagne et de vivre au seuil du paradis de l'imaginaire. « Mais je ne puis me corriger de mes châteaux en Espagne. J'ai beau vieillir, je n'en suis que plus enfant ». « Il est impossible à ma mauvaise tête de renoncer aux châteaux en Espagne » [20]. Avec le concours de ses sens et de son imagination il se crée une terre idéale qu'il peuple d'êtres fictifs et chimériques. Cette patrie utopique, plus authentique que la réalité, devient pour lui l'équivalent de l'âge d'or inaccessible. Il écrit dans sa troisième lettre à M. de Malesherbes :

> « Mon imagination ne laissait pas longtemps déserte la terre ainsi parée. Je la peuplais bientôt d'êtres selon mon cœur, et chassant bien loin l'opinion, les préjugés, toutes les passions factices, je transportais dans les asiles de la nature des hommes dignes de les habiter. Je m'en formais une société dont je ne me sentais pas indigne. Je me faisais un siècle d'or à ma fantaisie » [21].

Le monde idéal que Rousseau imagine au début des *Dialogues* ressemble à l'âge d'or par ses vertus d'innocence, d'harmonie et de beauté. Il est une terre où la vie affective n'est ni détournée de la nature, ni entravée par les structures sociales et rationnelles, une terre promise où les hommes « aspirent à l'état céleste » en restant fidèles aux impulsions originelles de l'âme. « Les habitants du monde idéal dont je parle ont le bonheur d'être maintenus par la nature, à laquelle ils sont plus attachés, dans cet heureux point de vue où elle nous a placés tous, et par cela seul leur âme garde toujours son caractère originel » [22]. Telle est la force créatrice de l'imagination, elle satisfait en l'homme ce besoin irréductible d'habiter le royaume du songe. L'esprit d'enfance et le désir de la pureté, la fuite dans l'imaginaire et la quête passionnée de l'âge d'or se confondent dans l'âme de Rousseau, car ils correspondent à une même exigence intérieure.

Toutefois Jean-Jacques ne recherche pas seulement le paradis dans un ailleurs inventé par l'imagination, il le découvre aussi dans ses rencontres avec la vie végétale de la nature. Il le pressent tantôt au cours de ses herborisations : « Il n'est pas aisé d'imaginer un jardin mieux assorti de plantes que celui d'Eden »[23], tantôt au moment où il déserte la ville pour goûter la solitude dans la campagne ou parmi les ombrages : « Le moment où j'échappe au cortège des méchants est délicieux et sitôt que je me vois sous les arbres au milieu de la verdure je crois me voir dans le paradis terrestre et je goûte un plaisir interne aussi vif que si j'étais le plus heureux des mortels »[24]. Tantôt lorsqu'il entreprend un voyage à pied. La marche stimule l'élan de sa pensée et lui *avive* les idées, elle favorise la communication avec la nature et incite l'âme du voyageur à partir, comme un navigateur ou un colon, en quête d'une terre, d'un paysage digne d'abriter un vrai paradis. « En partant je ne songeais qu'à bien marcher. Je sentais qu'un nouveau paradis m'attendait à la porte ; je ne songeais qu'à l'aller chercher »[25]. En attendant d'accéder au véritable Eden, libre de toute contingence contraignante, l'homme dispose du pouvoir d'inventer sur terre un paradis à sa mesure, dispensateur de joies, de délices à la fois réelles et fictives. Il peut retrouver les vestiges de l'âge d'or, soit en imaginant de toutes pièces l'empyrée de son rêve, soit en ornant de chimères un paysage choisi. Il peut recomposer le paradis avec les images obsédantes de son cerveau ou bien l'établir dans quelque lieu réel, aux Charmettes, à Montmorency ou à l'île de Saint-Pierre. Peu importe, l'essentiel est de triompher des laideurs de la société, de les transcender par la vertu de l'imagination.

*

* *

Quelle représentation Rousseau se fait-il de l'âge d'or qu'ont célébré Hésiode et les poètes latins ? On serait peut-être tenté d'assimiler l'âge d'or à l'état de nature et de le confondre avec la condition primitive de l'homme. Il n'en est rien. L'âge d'or tel que le décrivent le *Discours sur l'origine de l'inégalité* et l'*Essai sur l'origine des langues* correspond à une étape intermédiaire entre l'état naturel et l'état social ; il se situe à leur croisement, marque la transition entre « l'homme de la nature » et « l'homme de l'homme » ; il est le temps pastoral, l'âge de la barbarie et de la sauvagerie qui tendent à s'organiser, à se civiliser. Les hommes de l'âge d'or vivent en quelque sorte à une limite, sur une frontière séparant la condition des peuplades sauvages de celle des peuples policés, ils sont prêts à subir les progrès de la civilisation. Ils ont déjà perdu quelque chose de leur simplicité naturelle, de leur vertu et de leur liberté primitives, mais ne sont pas encore soumis à la contrainte de l'ordre social, ni engagés dans le monde de la fatalité historique. La dénaturation ne s'est pas encore produite en eux, elle s'esquisse, se prépare, car les instruments destinés à la provoquer se forgent et se perfectionnent peu à peu. Ils vivent dans une tranquille indépendance, se suffisent à eux-mêmes en obéissant aux principes de la conservation de soi et de la séparation ; mais ils ne se satisfont plus absolument du sentiment de leur existence, ni du seul prestige de l'instinct, ni de la totale ignorance. Ils commencent à réfléchir, conçoivent certaines idées et élaborent les rudiments d'une morale, ils inventent un langage qui exprime leurs sentiments. L'homme de l'âge d'or se trouve à l'intersection de l'état de nature et de l'état civil.

« Tandis que rien n'est si doux que lui dans son état primitif, lorsque, placé par la nature à des distances égales de la stupidité des brutes et des lumières funestes de l'homme civil, et borné également par l'instinct et par la raison à se garantir du mal qui le menace, il est retenu par la pitié naturelle de faire lui-même du mal à personne, sans y être porté par rien, même après en avoir reçu. » [26]

Comme le sauvage des temps primitifs, l'homme de l'âge d'or goûte les loisirs de la solitude, il se complaît dans l'isolement, la contemplation, en ignorant la connaissance de soi et du monde.

Les hommes ne constituent pas encore de véritables sociétés, ils sont « épars dans ce vaste désert du monde » et ne se groupent guère qu'en familles. Le principe de la séparation régit leur mode d'existence et définit les temps de l'âge d'or. « Ces temps de barbarie étaient le siècle d'or, non parce que les hommes étaient unis, mais parce qu'ils étaient séparés » [27]. A la séparation sociale se joint la faculté de se concentrer, alors que l'homme social vit dans la dualité et la dispersion, le primitif pratique le resserrement intérieur et se replie sur son moi. « Le sauvage vit en lui-même ; l'homme sociable, toujours hors de lui, ne sait vivre que dans l'opinion des autres ». « L'homme en société cherche à s'étendre ; l'homme isolé se resserre » [28]. Il ne s'adonne guère à l'agriculture et paraît préférer à la chasse l'indolence de la vie pastorale. Il habite des cabanes avec sa famille, mais sa condition de berger ne lui inculque pas le sens de la propriété. Il ne se soucie pas de l'écoulement du temps, ni du passé, ni de l'avenir, il imagine son existence comme un perpétuel présent, affranchi des tourments de la mort. L'âge d'or ou âge pastoral se distingue par cet état d'indolence et d'oisiveté, si cher à Rousseau. Il offre à chacun la capacité de se procurer l'indispensable sans effort et met à sa disposition les ressources de la nature, il satisfait à l'idéal de la plénitude dans la simplicité. « L'art pastoral, père du repos et des passions oiseuses, est celui qui se suffit le plus à lui-même. Il fournit à l'homme, presque sans peine, la vie et le vêtement ; il lui fournit même sa demeure » [29]. Mais cette aisance et cette oisiveté de la vie pastorale impliquent certaines conséquences, nuisibles au destin futur de l'humanité. D'une part elles favorisent l'amollissement du corps et de l'esprit, d'autre part elles incitent à la réflexion, à la méditation et suggèrent à l'homme de rechercher les perfectionnements matériels qui améliorent sa condition. « Dans ce nouvel état, avec une vie simple et solitaire, des besoins très bornés et des instruments qu'ils avaient inventés pour y pourvoir, les hommes, jouissant d'un fort grand loisir, l'employèrent à se procurer plusieurs sortes de commodités inconnues de leurs pères »[30]. Ce souci du perfectionnement est l'une des causes de la dénaturation future et de la déchéance progressive de l'humanité.

Quant au langage, bien qu'il dépende de « causes naturelles », il est « la première institution sociale », le premier agent de communication. La parole s'établit, puis se développe, grâce aux relations de voisinage et à la nécessité des échanges, grâce à la « fréquentation mutuelle » qui se substitue à l'isolement et à la séparation des temps primitifs. Le langage contribue donc à écarter l'homme de l'état de nature et de l'âge d'or, il est un des instruments les plus efficaces de la socialisation. Toutefois la langue de l'âge d'or n'est nullement intellectuelle, rationnelle, elle ne s'adresse pas à l'esprit, ne recherche pas l'exactitude et demeure impropre au maniement des idées. Elle est un langage passionnel et métaphorique, essentiellement suggestif ; elle peint les objets et traduit les sentiments à l'aide de « signes sensibles », d'images et de figures qui parlent au cœur. Il s'agit d'un langage poétique et musical, destiné à un usage plus domestique que social.

Pourtant le berger de l'âge d'or se distingue déjà sensiblement de l'homme de la nature. Il n'ignore plus tout à fait le pouvoir de la réflexion et ne méconnaît plus la voix de la conscience morale. Il commence à établir des comparaisons entre les objets de la nature, conçoit les idées du mérite, de la qualité et de la beauté, éprouve de la commisération à l'égard de ses semblables ; ses facultés intellectuelles et morales s'éveillent, s'aiguisent par une sorte de goût inconscient de l'invention et du perfectionnement. Dans ses relations avec autrui et avec le monde il prend conscience du mal ; il se rend compte que l'homme peut nuire à son prochain, que certains phénomènes ou catastrophes cosmiques menacent son existence. C'est pourquoi il apprend à se préserver des périls qui pèsent sur lui et cherche à se rapprocher des autres hommes afin de former des groupes sociaux plus résistants, prémunis contre les cataclysmes. La naissance de la réflexion et de la conscience morale, ainsi que l'évolution du langage, fonde les prémices de la société.

On peut en dire autant des sentiments. L'organisation patriarcale et l'extension de la famille fortifient l'amour conjugal et l'amour paternel. Les sexes communiquent entre eux, au gré de rencontres fortuites. L'amour et le désir naissent dans un univers étranger à l'angoisse de la fuite du temps et de la mort. L'amour est plus un instinct qu'une passion, il n'est que rarement troublé par les ravages de l'inquiétude et de la jalousie. Il unit le plaisir à l'innocence, s'épanouit à l'occasion des fêtes, inspire les divertissements de la musique et de la danse. C'est avec un lyrisme émouvant que Rousseau évoque, parmi la végétation et au bord des fontaines, les aubes de l'amour, toutes ruisselantes de l'eau originelle.

« Le cœur s'émut à ces nouveaux objets, un attrait inconnu le rendit moins sauvage, il sentit le plaisir de n'être pas seul. L'eau devint insensiblement plus nécessaire, le bétail eut soif plus souvent : on arrivait en hâte et l'on partait à regret. Dans cet âge heureux où rien ne marquait les heures, rien n'obligeait à les compter, le temps n'avait d'autre mesure que l'amusement et l'ennui. Sous de vieux chênes, vainqueurs des ans, une ardente jeunesse oubliait par degrés sa férocité : on s'apprivoisait peu à peu les uns avec les autres ; en s'efforçant de se faire entendre, on apprit à s'expliquer. Là se firent les premières fêtes : les pieds bondissaient de joie ; le geste empressé ne suffisait plus, la voix l'accompagnait d'accents passionnés ; le plaisir et le désir, confondus ensemble, se faisaient sentir à la fois : là fut enfin le vrai berceau des peuples ; et du pur cristal des fontaines sortirent les premiers feux de l'amour. » [31]

L'âge d'or, « printemps perpétuel sur la terre », incarne un état d'équilibre et de félicité, d'isolement et de stabilité. Il est la condition la mieux appropriée à la nature de l'homme, à son souci du bonheur, de l'indépendance, il correspond à la « jeunesse du monde » et représente le miroir du jardin d'Eden. Voici en quels termes Rousseau décrit ce paradis perdu de l'unité dans le second *Discours :*

« Quoique les hommes fussent devenus moins endurants, et que la pitié naturelle eût déjà souffert quelque altération, ce période du développement des facultés humaines, tenant un juste milieu entre l'indolence de l'état primitif et la pétulante activité de notre amour-propre, dut être l'époque la plus heureuse et la plus durable. Plus on y réfléchit, plus on trouve que cet état était le moins sujet aux révolutions, le meilleur à l'homme, et qu'il n'en a dû sortir que par quelque funeste hasard, qui, pour l'utilité commune, eût dû ne jamais arriver. L'exemple des sauvages, qu'on a presque tous trouvés à ce point, semble confirmer que le genre humain était fait pour y rester toujours, que cet état est la véritable jeunesse du monde ; et que tous les progrès ultérieurs ont été, en apparence, autant de pas vers la perfection de l'individu, et, en effet, vers la décrépitude de l'espèce. »[32]

« Printemps perpétuel sur la terre », « véritable jeunesse du monde », l'âge d'or est à dire vrai une conjecture poétique, une hypothèse riche de sens mythique. Rousseau aurait pu affirmer, comme il l'a fait de l'état de nature dans le *Discours sur l'origine de l'inégalité*, qu'il s'agit d' « un état qui n'existe plus, qui n'a peut-être point existé, qui probablement n'existera jamais ». Non seulement la réalité de l'âge d'or est problématique et appartient plus à la légende qu'à l'histoire, mais, s'il s'était véritablement incarné dans le temps humain, il serait, de toute manière, inaccessible désormais. Les hommes ont perdu leur simplicité primitive, leur « antique et première innocence », leur naturelle vertu, aussi ne sauraient-ils opérer un retour aux origines ou récupérer leurs pouvoirs perdus. Les passions ont corrompu les cœurs et les ont irrémédiablement écartés du siècle d'or. Dans sa *Réponse au roi de Pologne* Rousseau écrivait déjà :

« En vain même vous ramèneriez les hommes à cette première égalité conservatrice de l'innocence et source de toute vertu : leurs cœurs une fois gâtés le seront toujours ; il n'y a plus de remède, à moins de quelque grande révolution presque aussi à craindre que le mal qu'elle pourrait guérir, et qu'il est blâmable de désirer et impossible de prévoir. »

Et dans ses *Dialogues :* « Mais la nature humaine ne rétrograde pas et jamais on ne remonte vers les temps d'innocence et d'égalité quand une fois on s'en est éloigné ; c'est encore un des principes sur lesquels il a le plus insisté »[33]. Cette impossibilité de remonter le cours du temps, de retrouver, en deçà de l'histoire, la pureté et l'harmonie primitives, s'applique autant au siècle d'or qu'à l'état de nature, ainsi que l'atteste ce fragment de la version primitive du *Contrat social :*

« La douce voix de la nature n'est plus pour nous un guide infaillible, ni l'indépendance, que nous avons reçue d'elle, un état désirable ; la paix et l'innocence nous ont échappé pour jamais, avant que nous en eussions goûté les délices. Insensible aux stupides hommes des premiers temps, échappée aux hommes éclairés des temps postérieurs, l'heureuse vie de l'âge d'or fut toujours un état étranger à la race humaine, ou pour l'avoir méconnu quand elle en pouvait jouir, ou pour l'avoir perdu quand elle aurait pu le connaître. » [34]

Mythe créé par l'imagination en quête du bonheur, paradis engendré par la nostalgie de l'équilibre disparu, de la perfection des origines, l'âge d'or demeure un de ces symboles à jamais enracinés dans l'âme humaine. Certes la croyance au siècle d'or ne restitue pas ce qui est perdu, mais elle inspire la méfiance à l'égard du progrès et sert à endiguer l'évolution du mal social. En tant que certitude intérieure, elle apporte l'espérance d'une terre de bonheur et d'innocence, d'un espace de liberté, soustrait à l'action fatale du temps et de l'histoire. Elle nous incite à rechercher dès maintenant l'éternité et à retrouver ici-bas le sens du sacré. Mircea Eliade précise à ce propos : « La nostalgie du Paradis tient plutôt aux impulsions profondes de l'homme qui, tout en désirant participer au sacré par la *totalité de son être*, découvre que cette totalité n'est qu'apparente et qu'en réalité son être même s'est constitué sous le signe d'une rupture » [35]. La foi en un paradis ou en un âge d'or correspond à une volonté de lutte contre la division et le morcellement auxquels nous sommes voués, à une tension morale et spirituelle dirigée vers la conquête de l'unité perdue.

*

* *

La question suivante vient naturellement à l'esprit : Rousseau qui refusait d'être « désabusé de la chimère de l'âge d'or » a-t-il au cours de son existence et dans son œuvre cherché à retrouver les vestiges de cet âge d'or disparu ? J'en suis persuadé. Jean-Jacques a vécu dans la certitude que l'âge d'or était insulaire et que l'établissement dans les îles pouvait lui en restituer une vision authentique, conforme à son tempérament. L'île, mieux que toute autre terre ou que tout continent, représente une image approximative du paradis et de l'âge d'or, parce que, grâce à son isolement, à la défense naturelle de l'eau, elle échappe à l'emprise des contraintes sociales. Le séjour dans les îles inspire le sentiment de la liberté, ranime la fraîcheur de la sensibilité et de l'imagination, permet de renouer le contact avec les pouvoirs secrets de la nature. L'âme humaine s'affranchit de la perception du temps, se soustrait à l'ascendant de la société et de l'histoire. « Le mythe du Paradis perdu survit encore dans les images de l'Ile paradisiaque et du paysage édénique : territoire privilégié où les lois sont abolies, où le Temps s'arrête »[36]. Cette phrase s'applique remarquablement au destin personnel et aux aspirations intimes de Rousseau dont la vie est marquée par la hantise de la solitude insulaire. Henri-Frédéric Amiel note en 1879 que l'*insularité* est pour Jean-Jacques la *protection* la plus naturelle et Marcel Raymond ajoute qu'à l'époque des *Rêveries* « la mémoire de Rousseau est toute peuplée d'îles, qui sont autant d'affleurements paradisiaques »[37]. Sa mémoire et son imagination sont visitées sans cesse par le parfum enivrant des îles.

A son retour de Venise, Rousseau s'arrêta aux îles Borromées qui suscitèrent en lui un tel transport qu'il pensa y situer l'action de *La Nouvelle Héloïse*. Si Saint-Preux ne connut pas le charme d'Isola Bella, il découvrit l'enchantement des îles dans l'archipel de Juan Fernandez et à Tinian parmi les solitudes de la mer du Sud. Là lui furent révélés les prestiges de la nature sauvage, proche de la simplicité primitive et de l'innocence originelle, prestiges qu'il aura la joie de retrouver dans l'Elysée de Julie. « J'ai séjourné trois mois dans une Ile déserte et délicieuse, douce et touchante image de l'antique beauté de la nature, et qui semble être confinée au bout du monde pour y servir d'asile à l'innocence et à l'amour persécutés »[38]. De même Rousseau compare sa réclusion à l'Hermitage à un séjour dans l'île de Tinian, chère à son imagination : Montmorency lui évoque le souvenir de quelque « île enchantée » ou d'Isola Bella dans le Lac Majeur. Mais ce furent les semaines passées à l'île de Saint-Pierre qui marquèrent la mémoire de Jean-Jacques de l'empreinte la plus profonde. Il ne cessa de considérer ce paysage comme un paradis privilégié pour *se circonscrire*, pour nourrir son penchant à la rêverie et à la contemplation. Elle lui offrit cette possibilité de solitude parfaite et de séparation d'avec le siècle qui définissent la condition de l'âge d'or.

« Il me semblait que dans cette Ile je serais plus séparé des hommes, plus à l'abri de leurs outrages, plus oublié d'eux, plus livré, en un mot, aux douceurs du désœuvrement et de la vie contemplative. J'aurais voulu être tellement confiné dans cette Ile que je n'eusse plus de commerce avec les mortels, et il est certain que je pris toutes les mesures imaginables pour me soustraire à la nécessité d'en entretenir. »[39]

Expulsé de l'île de Saint-Pierre, Rousseau projeta d'aller se fixer en Corse, puis en 1768, lorsqu'il se résolut à quitter Bourguin, il songea à chercher asile soit dans l'archipel grec, soit à Minorque. La vie de Rousseau qui s'achève dans l'île des Peupliers à Ermenonville s'est écoulée sous le signe de l'île paradisiaque, image du temps immémorial de l'âge d'or.

Nouveau Robinson, Jean-Jacques aime à explorer les solitudes de la nature, comme un aventurier ou un navigateur qui partirait à la découverte de quelque archipel inconnu. « Je me comparais à ces grands voyageurs qui découvrent une Ile déserte, et je me disais avec complaisance : sans doute je suis le premier mortel qui ait pénétré jusqu'ici ; je me regardais presque comme un autre Colomb »[40]. Ou bien il se construit dans une île « une demeure imaginaire » d'où sa rêverie s'élève vers le royaume enchanté des chimères. L'isolement insulaire n'est pas seulement propice à la rêverie, à la contemplation oisive de la nature, il favorise aussi le recueillement de la pensée, la concentration de l'être et le travail de la création. « De toutes les études que j'ai tâché de faire en ma vie au milieu des hommes il n'y en a guère que je n'eusse faite également seul dans une île déserte où j'aurais été confiné pour le reste de mes jours »[41]. La solitude insulaire ne communique jamais à Jean-Jacques le sentiment de l'exil ou de la captivité, mais de la vraie liberté, soustraite aux contraintes sociales, favorable aux épanchements de l'âme et de la sensibilité.

« Son affection pour le Roman de *Robinson* m'a fait juger qu'il ne se fût pas cru si malheureux que lui, confiné dans son île déserte. Pour un homme sensible, sans ambition et sans vanité, il est moins cruel et moins difficile de vivre seul dans un désert que seul parmi ses semblables. »[42]

Rousseau est si persuadé de la vertu de l'établissement dans une île qu'il identifie par instants Emile avec Robinson. Il souhaite qu'Emile « pense être Robinson lui-même », qu'il fasse pour son compte l'expérience de l'isolement total, du pouvoir de se circonscrire et de se suffire. Aussi le premier livre qu'il confiera à son élève et qui « composera durant longtemps toute sa bibliothèque » comme « le plus heureux traité d'éducation naturelle » sera-t-il *Robinson Crusoé.* L'exemple privilégié de Robinson aura pour Emile une valeur éducative, il lui fournira un modèle nécessaire au développement de son jugement et à l'intelligence de sa condition, puisque la solitude est l'état le plus salutaire à la culture de l'âme et de l'esprit.

« Robinson Crusoé dans son île, seul, dépourvu de l'assistance de ses semblables et des instruments de tous les arts, pourvoyant cependant à sa subsistance, à sa conservation, et se procurant même une sorte de bien-être, voilà un objet intéressant pour tout âge, et qu'on a mille moyens de rendre agréable aux enfants. Voilà comment nous réalisons l'île déserte qui me servait d'abord de comparaison. Cet état n'est pas, j'en conviens, celui de l'homme social ; vraisemblablement il ne doit pas être celui d'Emile : mais c'est sur ce même état qu'il doit apprécier tous les autres. Le plus sûr moyen de s'élever au-dessus des préjugés et d'ordonner ses jugements sur les vrais rapports des choses, est de se mettre à la place d'un homme isolé, et de juger de tout comme cet homme en doit juger lui-même, eu égard à sa propre utilité. »[43]

Dans *Les Solitaires*, suite inachevée de l'*Emile*, le héros devait retrouver Sophie, après l'avoir perdue, dans une île déserte dont elle était devenue la prêtresse. Mais Rousseau, lassé de la création littéraire, se contente d'imaginer cette île de la solitude et de la vertu, se refuse à la décrire en termes précis. Il suggère à la marquise de Créqui qui lui en demande l'évocation de s'en faire une vision personnelle, de l'inventer avec le concours de son imagination.

« Vous ne m'imposez pas, Madame, une tâche aisée en m'ordonnant de vous montrer Emile dans cette Ile où l'on est vertueux sans témoins, et courageux sans ostentation. Tout ce que j'ai pu savoir de cette Ile étrangère est qu'avant d'y aborder on n'y voit jamais personne, qu'en y arrivant on est encore fort sujet à s'y trouver seul, mais qu'alors on se console aussi sans peine du petit malheur de n'y être vu de qui que ce soit. En vérité, Madame, je crois que, pour voir les habitants de cette Ile il faut les chercher soi-même, et ne s'en rapporter jamais qu'à soi. Je vous ai montré mon Emile en chemin pour y arriver ; le reste de la route vous sera bien moins difficile à faire seule qu'à moi de vous y guider. »[44]

Ce fragment de lettre précise que Rousseau, dans les années de sa vieillesse, avait acquis la certitude que l'île, image des temps de l'âge d'or, était avant tout un monde intérieur, une de ces « heureuses fictions » qui « tiennent lieu d'un bonheur réel », une de ces visions idéales de l'empyrée qui « ont plus de réalité peut-être que tous ces biens apparents dont les hommes font tant de cas »[45]. Les îles magiques qui émergent de l'imagination sont l'asile le plus sûr, le plus réconfortant, le plus préservé de toute altération extérieure.

Ce sont pourtant les réflexions de Jean-Jacques à propos de son séjour à l'île de Saint-Pierre qui permettent le mieux d'établir une comparaison entre la vie insulaire et la vie mythique de l'âge d'or. L'existence, telle que Rousseau la conçoit dans son île, repose sur l'épreuve de l'isolement essentiel et volontaire, de la séparation d'avec le siècle. L'île de Saint-Pierre, « singulièrement située pour le bonheur d'un homme qui aime à se circonscrire », est protégée du « tumulte de la vie sociale », affranchie des lois et des entraves du monde. Semblable à l'île de Papimanie de La Fontaine — la comparaison est de Rousseau — elle procure au contemplateur solitaire les délices de l'oisiveté et de la rêverie extatique. Prison naturelle et heureuse, elle est coupée de toute communication avec la perversité des hommes et de la société.

« Dans les pressentiments qui m'inquiétaient j'aurais voulu qu'on m'eût fait de cet asile une prison perpétuelle, qu'on m'y eût confiné pour toute ma vie, et qu'en m'ôtant toute puissance et tout espoir d'en sortir, on m'eût interdit toute communication avec la terre ferme de sorte qu'ignorant tout ce qui se faisait dans le monde j'en eusse oublié l'existence et qu'on y eût oublié la mienne aussi. » [46]

La vie insulaire ne se rapproche pas seulement de l'âge d'or par cette exigence de solitude, mais aussi parce qu'elle maintient les contacts spirituels avec la nature et apaise l'angoisse causée par l'écoulement du temps. A l'île de Saint-Pierre, Rousseau peut satisfaire sa passion de la verdure et des fleurs, vivre dans l'intimité des puissances de la nature, participer à leur mouvement sans perdre le sentiment de sa propre existence. Il peut réintégrer le monde des eaux primordiales, retrouver la communion avec l'élément originel et maternel. Il n'aime pas seulement l'eau parce qu'elle suscite en lui la rêverie, mais parce qu'elle contient un pouvoir de résurrection spirituelle, permet à l'être de recouvrer une part de son innocence primitive et le rapproche de la perfection des commencements. « Un jour à passer hors de l'Ile me paraissait retranché de mon bonheur, et sortir de l'enceinte de ce lac était pour moi sortir de mon élément » [47]. La contemplation de l'eau et des bois le détache des fatalités de l'histoire pour le replonger dans la pureté de l'originel. Sans mémoire du passé et sans souci de l'avenir, il vit comme au siècle d'or dans un éternel présent, indifférent à la marche du temps et aux progrès de la durée. A défaut de reconquérir l'harmonie de l'état de nature ou de l'âge d'or, l'homme peut y accéder par les mouvements internes de la rêverie, par l'expansion de l'imagination, toujours prête à forcer les frontières de l'espace et du temps.

La vie insulaire présente encore une autre analogie avec la vie pastorale, elle prédispose le moi à se rassembler, à se concentrer en lui-même. Elle invite au recueillement, non de la pensée, mais de l'âme qui se resserre afin de jouir dès maintenant de son indépendance. Le cœur se détache de toute trace sensible et de tout lien extérieur, il atteint à un état de plénitude, de dépouillement et de sérénité qui s'apparente à l'extase. Délivré des objets et des passions, l'être s'abandonne au seul plaisir d'exister, il adhère de telle sorte à son moi qu'il se suffit à lui-même et retrouve quelque chose de cet équilibre, de cette simplicité et de cette unité qui définissent les saisons de l'innocence.

« De quoi jouit-on dans une pareille situation ? De rien d'extérieur à soi, de rien sinon de soi-même et de sa propre existence, tant que cet état dure on se suffit à soi-même comme Dieu. Le sentiment de l'existence dépouillé de toute autre affection est par lui-même un sentiment précieux de contentement et de paix qui suffirait seul pour rendre cette existence chère et douce à qui saurait écarter de soi toutes les impressions sensuelles et terrestres qui viennent sans cesse nous en distraire et en troubler ici-bas la douceur. » [48]

Alors que le primitif jouit de façon constante, sans effort, de l'unité de son être et du sentiment de son existence, l'homme social ne parvient à cet état privilégié que temporairement, par la retraite volontaire, par l'exercice du dénuement et du rassemblement profond de son moi.

Ainsi le véritable âge d'or est impossible à redécouvrir, que ce soit dans le temps irréversible ou dans la nature désormais énigmatique à l'intelligence humaine. On peut tout au plus en retrouver quelques traces dans les lieux les plus écartés, les plus secrets de la nature, sur les montagnes, dans les forêts ou dans les îles.

« La nature semble vouloir dérober aux yeux des hommes ses vrais attraits, auxquels ils sont trop peu sensibles, et qu'ils défigurent quand ils sont à leur portée : elle fuit les lieux fréquentés ; c'est au sommet des montagnes, au fond des forêts, dans des Iles désertes, qu'elle étale ses charmes les plus touchants. » [49]

La vraie nature, devenue indéchiffrable à l'homme social, se réfugie dans ces lieux cachés que le solitaire explore et où il découvre des parcelles de paradis. Chaque fois que Rousseau en identifie une, il use de tous les pouvoirs de sa sensibilité et de son imagination pour la décrire, il l'évoque dans une langue chargée de cette lumineuse tendresse dont il connaît le secret. Telle cette description édénique, extraite de la troisième lettre à M. de Malesherbes :

« J'allais alors d'un pas plus tranquille chercher quelque lieu sauvage dans la forêt, quelque lieu désert où rien ne montrant la main des hommes n'annonçât la servitude et la domination, quelque asile où je pusse croire avoir pénétré le premier et où nul tiers importun ne vînt s'interposer entre la nature et moi. C'était là qu'elle semblait déployer à mes yeux une magnificence toujours nouvelle. L'or des genêts, et la pourpre des bruyères frappaient mes yeux d'un luxe qui touchait mon cœur, la majesté des arbres qui me couvraient de leur ombre, la délicatesse des arbustes qui m'environnaient, l'étonnante variété des herbes et des fleurs que je foulais sous mes pieds tenaient mon esprit dans une alternative continuelle d'observation et d'admiration : le concours de tant d'objets intéressants qui se disputaient mon attention, m'attirant sans cesse de l'un à l'autre, favorisait mon humeur rêveuse et paresseuse. » [50]

L'âge d'or ne saurait toutefois être restitué à l'homme sous la forme d'une vision passagère ou d'un spectacle, quelque beau qu'il fût, il ne peut plus appartenir qu'à notre monde intérieur, au territoire le plus intime et le plus mystérieux de notre cœur. De même qu'un paysage vaut par les sentiments qu'il inspire : « C'est dans le cœur de l'homme qu'est la vie du spectacle de la nature ; pour le voir, il faut le sentir » [51], l'âge d'or doit être perçu, vécu intérieurement. Certes, la croyance au siècle d'or repose sur les prestiges de l'imagination qui franchit les espaces terrestres et transcende les limites du réel, mais elle se fonde davantage encore sur l'évidence du sentiment et le témoignage irraisonné du cœur. Il s'agit en dernier ressort d'une foi à laquelle on donne ou refuse son adhésion. L'âge d'or ne se décrit pas, il n'est pas un objet d'artifice ou de curiosité littéraire, on le sent, on y croit, on l'éprouve comme une certitude intérieure, il vit au fond de l'âme humaine. C'est le thème que développent ces strophes composées par Jean-Jacques dans sa vieillesse et destinées à corriger l'esprit d'une idylle de Gresset, *Le Siècle pastoral :*

Mais qui nous eût transmis l'histoire
De ces temps de simplicité ?
Etait-ce au temple de mémoire
Qu'ils gravaient leur félicité ?
La vanité de l'art d'écrire
L'eût bientôt fait évanouir ;
Et sans songer à la décrire
Ils se contentaient d'en jouir.

Des traditions étrangères
En parlent sans obscurité ;
Mais dans ces sources mensongères
Ne cherchons point la vérité.
Cherchons-la dans le cœur des hommes,
Dans ces regrets trop superflus
Qui disent dans ce que nous sommes
Tout ce que nous ne sommes plus.

Qu'un savant des fastes des âges
Fasse la règle de sa foi !
Je sens de plus sûrs témoignages
De la mienne au dedans de moi.
Ah ! qu'avec moi le Ciel rassemble,
Apaisant enfin son courroux,
Un autre cœur qui me ressemble ;
L'âge d'or renaîtra pour nous. [52]

La résurrection intérieure de l'âge d'or ne dépend pas d'un effort de l'intelligence, ni exclusivement des mouvements de l'imagination, mais d'une exigence spirituelle, d'un amour total et désintéressé, seul capable d'en assurer la survivance dans le cœur humain.

« On traite l'âge d'or de chimère, et c'en sera toujours une pour quiconque a le cœur et le goût gâtés. Il n'est pas même vrai qu'on le regrette, puisque ces regrets sont toujours vains. Que faudrait-il donc pour le faire renaître ? une seule chose, mais impossible, ce serait de l'aimer. » [53]

On peut se persuader que Rousseau l'a aimé d'un amour peut-être impossible, mais d'autant plus sincère, absolu et passionné. Il l'a aimé comme le paradis de l'innocence, comme le moyen moral de ressusciter les temps de la genèse et de sauvegarder l'esprit d'enfance. Cette quête intérieure de l'âge d'or légitime le jugement de Bernardin de Saint-Pierre : « Il a voulu rendre l'enfance à la vie humaine ». Enfance de l'âme et du monde, associés dans une même harmonie.

Eden perdu et préservé de feu, jardin sonore des Hespérides, race d'or du siècle saturnien, printemps perpétuel de l'Arcadie, rivages immergés de l'Atlandide, terre de clarté promise à la patience de saint Brendan, îles magiques et fortunées, espoir inaltérable des aventuriers de la conquête et de la navigation. Jardin de l'enfance, « jardin suspendu d'Eden » que peuple l'imagination de Jean-Paul Richter et de Novalis, « vert paradis des amours enfantines » qui hante les songes de Baudelaire, de Nodier et de Nerval, « état primitif de fils du Soleil » auquel aspire Rimbaud, « pays sans nom » inscrit dans la mémoire du Grand Meaulnes, âge d'or ressuscité « des cendres du soleil », selon la grande espérance d'André Breton... La possession du royaume de l'âge d'or est réservée aux primitifs et aux enfants, aux poètes et aux aventuriers de la pensée. C'est au centre de cet immense courant que se situe l'œuvre de Jean-Jacques, inspirée par l'aventure éternelle de l'âme et de l'imagination, parties de concert à la recherche de la transparence des origines et des aubes de la création. Même si le temps auroral est hors de notre portée, il demeure notre espoir secret, notre aspiration primordiale. Rousseau aurait sans doute acquiescé aux paroles que Gœthe prête à la princesse dans *Torquato Tasso :*

> *Et de plus en plus l'âme se complaît en elle-même*
> *et veut restaurer en soi cet âge d'or*
> *qu'elle ne saurait retrouver ailleurs...*
> *Sans doute, ô mon ami, l'âge d'or est passé,*
> *mais les grands cœurs le font renaître parmi nous.*
> *Et te dirai-je ma pensée ? Cet âge d'or*
> *dont le poète nous enchante, ce bel âge,*
> *le passé ne l'a pas davantage connu*
> *que nous autres, je crois, et si jamais il fut,*
> *chacun de nous peut le retrouver tout pareil.* [54]

L'œuvre de Rousseau nous invite à considérer l'âge d'or, non comme une chimère de l'esprit, mais comme une réalité intime que nous devons découvrir par nous-mêmes afin de lui conférer une durée spirituelle. La nostalgie du siècle d'or entretient dans notre âme la certitude de son origine céleste et de son éternité. C'est à ce titre qu'elle est, au-delà du possible et du vraisemblable, nécessaire à la vie de l'humanité, ainsi que l'exprime Dostoïevsky :

> « Songe merveilleux, sublime aberration de l'humanité ! L'âge d'or est le rêve le plus invraisemblable de tous ceux qui ont jamais été, mais pour lui des hommes ont donné toute leur vie et toutes leurs forces, pour lui sont morts et ont été tués des prophètes, sans lui les peuples ne veulent pas vivre et ne peuvent même pas mourir. » [55]

Jean-Jacques Rousseau est l'un de ces prophètes qui ont porté l'âge d'or dans leur cœur comme le ferment de toute clarté, de toute innocence. Il n'a jamais prétendu, comme les socialistes français du XIXe siècle, instaurer le paradis dans le présent ou le futur, il le situe aux origines de la création ou, plus exactement, dans les enfances de l'humanité, dans un monde intemporel, soustrait à la perception du devenir, étranger aux troubles de l'histoire et aux misères de la société [56]. Irrémédiablement perdu dans le temps profane, le paradis est devenu un royaume intérieur, dissimulé dans l'essence indestructible de notre être. E. M. Cioran écrit aujourd'hui dans cette même perspective : « Le paradis, nous avons beau cesser de croire à sa réalité géographique ou à ses figurations diverses, il n'en réside pas moins en nous comme une donnée suprême, comme une dimension de notre moi originel : il s'agit maintenant de l'y découvrir » [57]. Rousseau n'a pas envisagé la quête du paradis comme un thème littéraire, mais comme une créance profonde et sacrée dans laquelle il a engagé le poids de son existence personnelle, sa confiance en la liberté de l'homme, sa passion de l'absolu et son attente de l'éternité.

CHAPITRE VII

Le sentiment de l'immortalité

Je cherche l'immortalité, et elle est dans moi-même.
MONTESQUIEU

Les écrivains et les poètes dont le cœur éprouve la nostalgie de l'âge d'or ou le regret du paradis perdu sont habités la plupart du temps par le tourment de l'éternité. Ils sentent que l'homme porte en lui l'infini et que la grande affaire de la vie est la quête anxieuse de l'immortalité ; ils sont persuadés que l'existence contient, selon le mot de Chateaubriand, *un dessein d'éternité.* C'est en vain que certains théologiens prétendent écarter le dogme de l'immortalité de l'âme au bénéfice de la résurrection des corps. Notre âme nous parle secrètement le langage de l'éternité et nous communique le sentiment de l'immortalité. Il s'agit d'une certitude intérieure, d'une évidence spirituelle qui commande le destin de l'homme. « L'immortalité de l'âme, écrit Pascal, est une chose qui nous importe si fort, qui nous touche si profondément, qu'il faut avoir perdu tout sentiment pour être dans l'indifférence de savoir ce qui en est » [1]. L'immortalité de l'âme, sous quelque forme qu'on l'envisage, confère à l'existence un sens profond, en fait le prix et la beauté ; elle situe la vie dans la perspective de l'infini et atteste que le destin de l'être ne saurait s'achever ici-bas. Elle abolit toute frontière entre la terre et le ciel, substitue à la réalité fatale de la mort la réalité souveraine de l'au-delà. Ainsi que l'exprime Montesquieu, c'est par l'immortalité de son âme que l'homme rejoint la ressemblance divine : « Quand l'immortalité de l'âme serait une erreur, je serais très fâché de ne pas la croire... Pour moi, je ne veux point troquer (et je n'irai point troquer) l'idée de mon immortalité contre celle de la béatitude d'un jour. Je suis très charmé de me croire immortel comme Dieu même » [2]. Aussi l'immortalité nous affecte-t-elle, nous concerne-t-elle personnellement au point de constituer l'événement central de notre existence. Elle est cette déchirure de bleu dans un ciel d'orage, cette blancheur lumineuse qui perce l'opacité de la nuit ; elle est notre *aube spirituelle*, l'étoile du matin qui dispense au monde sa promesse flamboyante. La certitude de l'immortalité ne nous est guère révélée par des arguments rationnels, mais dictée plutôt par notre conscience affective ; elle s'impose à notre esprit comme une évidence du sentiment que nous suggère l'imagination, inquiète de déchiffrer les mystères du possible et du futur, impatiente de découvrir les vérités cachées derrière le voile de l'Infini. L'imagination qui dispose du pouvoir d'anticiper le temps est portée à considérer le destin de l'être au-delà de la mort, à s'installer dans la perspective intemporelle de l'éternité, à s'introduire dans les espaces inconnus de l'eschatologie. Elle est la faculté par laquelle l'homme invente son Apocalypse et se représente sa vision du Jugement.

La pensée religieuse de Jean-Jacques Rousseau, telle qu'elle commence à se fixer entre 1754 et 1758 — c'est-à-dire au cours de la période marquée par le retour au protestantisme, l'opposition ouverte aux idées de Voltaire, les affaires de l'Hermitage et la rupture avec les Encyclopédistes — n'est pas réductible à l'orthodoxie chrétienne ; elle s'en inspire librement et s'en détache sur plusieurs points fondamentaux. Jean-Jacques rejette le dogme de la faute originelle, méconnaît la puissance de la grâce, refuse absolument la résurrection des corps et l'éternité des peines ; au nom de la raison, il repousse la croyance aux miracles et ne saisit pas toute la portée de l'Incarnation du Christ. La religion chrétienne se ramène pour lui à croire à l'existence transcendante de Dieu et à se préparer à la conquête de l'éternité. La foi est confiance en la justice de Dieu et aspiration à l'immortalité de l'âme qui souhaite se délivrer des servitudes et des iniquités du monde. Ces deux dogmes, liés à la doctrine de la Providence, constituent l'essence du christianisme tel que Rousseau le comprend. Il écrit au pasteur Jacob Vernes (18 février 1758) : « Mon ami, je crois en Dieu, et Dieu ne serait pas juste si mon âme n'était immortelle. Voilà ce me semble tout ce que la Religion a d'essentiel et d'utile. Laissons le reste aux disputeurs »[3]. Et à la marquise de Créqui (13 octobre 1758) : « Pour moi, j'aimerais encore mieux être dévot que philosophe ; mais je m'en tiens à croire en Dieu, et à trouver dans l'espoir d'une autre vie ma seule consolation dans celle-ci »[4]. S'il repousse avec quelque légèreté l'appareil complexe de la dogmatique, Rousseau concentre sa foi dans l'espérance de l'immortalité qui le dédommagera des misères de la vie terrestre et des tourments de son imagination. Il est sans cesse préoccupé par l'inquiétude de l'au-delà et s'interroge sur la destination future de l'homme ; de plus en plus étranger à la dispersion du monde, il aspire à l'unité spirituelle d'une terre idéale et céleste. La perspective de l'éternité lui devient plus familière que celle du temps. Aussi n'est-il pas surprenant qu'il n'ait jamais pu s'accommoder du scepticisme voltairien auquel il s'oppose fermement à partir du *Discours sur l'origine de l'inégalité*. La philosophie morale de Voltaire, qui nie l'action providentielle de Dieu, met en doute l'immortalité, identifie l'âme avec une substance matérielle, engendre le désespoir métaphysique, car elle ne propose aucune réparation aux injustices et aux imperfections du monde. Rousseau, au contraire, se refuse à dissocier la croyance en Dieu de la foi en la Providence et du sentiment de l'immortalité. Tout en réfutant les idées du *Poème sur le désastre de Lisbonne*, il affirme que « la question de la Providence tient à celle de l'immortalité de l'âme » et que la justice divine implique la survie spirituelle de l'être. « Si Dieu existe, il est parfait ; s'il est parfait, il est sage, puissant et juste ; s'il est sage et puissant, tout est bien ; s'il est juste et puissant, mon âme est immortelle »[5]. A la fin de cette même lettre à Voltaire, Rousseau renonce à l'argumentation dialectique pour exprimer spontanément la vérité du sentiment, la certitude intérieure qui dirige sa vie et sa conscience :

« Non, j'ai trop souffert en cette vie pour n'en pas attendre une autre. Toutes les subtilités de la métaphysique ne me feront pas douter un moment de l'immortalité de l'âme, et d'une Providence bienfaisante. Je la sens, je la crois, je la veux, je l'espère, je la défendrai jusqu'à mon dernier soupir, et ce sera, de toutes les disputes que j'aurai soutenues, la seule où mon intérêt ne sera pas oublié. »[6]

Ce n'est point encore le persécuté qui tient ce langage ardent, mais l'adversaire de « cette commode philosophie des heureux et des riches, qui font leur paradis en ce monde »[7], l'adversaire du scepticisme épicurien et du matérialisme athée qui sont intéressés à nier l'existence de l'au-delà. Les pauvres et les malheureux sont, plus que les riches et les heureux, enclins à croire au paradis, à souhaiter une éternité réparatrice. Les premiers vivent dans l'attente d'un état céleste qui mettra un terme à leur dénuement et à leur souffrance, tandis que les seconds se confinent dans la possession des plaisirs temporels en feignant d'ignorer la réalité de l'au-delà. « Les grands, les riches, les heureux du siècle seraient charmés qu'il n'y eût point de Dieu, mais l'attente d'une autre vie console de celle-ci le peuple et le misérable. Quelle cruauté de leur ôter encore cet espoir ! »[8] Dans sa lutte contre la philosophie athée ou sceptique des « heureux du siècle », Rousseau s'est lentement persuadé que « l'espoir d'une autre vie peut seul consoler de celle-ci »[9] et que la volonté de justice est récompensée dans l'au-delà. Aussi la croyance à l'immortalité, envisagée tantôt comme une évidence rationnelle, tantôt comme une certitude dictée par le cœur et l'imagination, est-elle devenue une des constantes de l'œuvre de Rousseau. Elle compose la trame spirituelle de *La Nouvelle Héloïse*, anime la *Profession de foi du vicaire savoyard ;* elle est un leitmotiv de la correspondance et devient l'un des thèmes majeurs des *Rêveries*, au moment où Jean-Jacques sent que sa vie approche des berges de l'éternité et de l'île fortunée dont Ermenonville est la préfiguration terrestre.

En recréant le mythe de Tristan et Iseut dans *La Nouvelle Héloïse*, Rousseau a retrouvé l'idée de l'amour, si foncièrement étrangère au XVIIIe siècle absorbé par les jeux du libertinage et de l'érotisme. Si l'amour, dans son essence, est tenu ici-bas en échec par l'imperfection du monde et l'obstacle du corps, il trouve son accomplissement dans l'au-delà. C'est par la transfiguration de la mort qu'il achève sa vocation spirituelle, qu'il s'immortalise en revêtant un corps astral ou en s'identifiant avec le modèle de la perfection divine. Tandis que les plaisirs et les enchantements de l'amour sont destinés à périr, l'idée de l'amour est indestructible ; elle appartient *hic et nunc* au principe de l'éternité. « Il ne reste de nous que notre amour ; l'amour seul reste, et ses charmes se sont éclipsés »[10]. Les êtres, tels que Julie et Saint-Preux, prédestinés à s'aimer par « un éternel arrêt du ciel », confirment que la passion absolue renferme les prémices de l'immortalité. L'amour électif et spirituel se fonde sur la communication des âmes, indépendante de l'entremise des sens ; il se soutient par sa pureté et son exigence morale, animé qu'il est par le principe d'éternité qu'il porte en lui.

« Cet amour est invincible comme le charme qui l'a fait naître. Il est fondé sur la base inébranlable du mérite et des vertus ; il ne peut périr dans une âme immortelle ; il n'a plus besoin de l'appui de l'espérance, et le passé lui donne des forces pour un avenir éternel. »[11]

Il détache les amants des servitudes de l'univers physique et transitoire pour les élever à la contemplation de l'idée de perfection. L'âme, concentrée en elle-même et dans le sentiment de l'immortalité, pressent la plénitude de l'autre monde, découvre l'existence d'une beauté céleste et intemporelle. Elle éprouve que l'amour remonte à son principe et s'achemine vers la conquête de son essence. La passion spirituelle, ravie par le mouvement de sa propre exaltation, aspire à la vision d'une beauté éternelle et transcendante.

« Rentre au fond de ton âme ; c'est là que tu retrouveras toujours la source de ce feu sacré qui nous embrasa tant de fois de l'amour des sublimes vertus ; c'est là que tu verras ce simulacre éternel du vrai beau dont la contemplation nous anime d'un saint enthousiasme, et que nos passions souillent sans cesse sans pouvoir jamais l'effacer. »[12]

La pensée de Rousseau se rapproche ici de la dialectique du *Banquet* et du courant platonicien qui inspira Pétrarque et les poètes de la Renaissance française. Le vrai désir amoureux n'est attaché ni à la forme physique, ni au plaisir éphémère, il « désire l'inactuel et l'irréel, souhaite ce qu'il n'a pas, ce qui est autre que lui et dont il est indigent » ; il aspire, au-delà de la beauté terrestre, à la « beauté éternelle, incréée, impérissable, exempte d'accroissement et de diminution », il vit dans l'attente « de se ravir en la Beauté absolue et divine » [13]. C'est pourquoi l'amour ne peut être ici-bas qu'*illusion ;* il tend à se créer un *autre univers*, se cherche sans relâche une patrie qui n'est pas de ce monde. Il se compose une terre de paradis où la révélation de la Beauté échappe à toute contingence. « Le pays des chimères est en ce monde le seul digne d'être habité, et tel est le néant des choses humaines, qu'hors l'Etre existant par lui-même, il n'y a rien de beau que ce qui n'est pas » [14]. *La Nouvelle Héloïse* affirme que l'union parfaite des amants est impossible sur cette terre, mais qu'elle s'accomplit dans l'autre monde, après que la mort a descellé la dalle de l'éternité.

La mort produit la séparation de l'âme et du corps, c'est-à-dire qu'elle achève l'exil terrestre, découvre la plénitude spirituelle du moi et apporte la vision de la vérité absolue. L'âme qui n'est plus limitée par l'imperfection des organes, ni entravée par les chaînes du corps, retrouve sa vraie nature, accède à l'état céleste et à l'immuable perfection. Lorsque Julie, à la veille de mourir, médite sur le destin des âmes libérées du corps, elle s'exprime en termes platoniciens : « Comment un pur Esprit agirait-il sur une âme enfermée dans un corps, et qui, en vertu de cette union, ne peut rien apercevoir que par l'entremise de ses organes ? » [15]. Seule l'âme affranchie du corps, de la pesanteur sensible, acquiert son autonomie et son intégrité spirituelles. Aussi Julie, malgré l'opinion de son pasteur, ne peut-elle accepter le dogme de la résurrection des corps. Elle considère que l'âme recouvre son innocence en se rendant indépendante et que le corps ne saurait revêtir une forme spirituelle. L'immortalité de l'âme exclut la résurrection des corps : l'âme est le seul principe libre et éternel qui, créé à la ressemblance de Dieu, puisse assurer une survie bienheureuse.

Après la mort, la communication des âmes deviendra plus étroite, sans faille, ni rupture. Dans l'au-delà l'être conservera son identité spirituelle, il ne perdra ni le souvenir de ses actes, ni la mémoire de ceux qu'il a aimés, puisque l'âme établira la permanence absolue du moi.

« Un être essentiellement pensant, s'il ne se souvient plus d'être le même, il ne l'est plus. On voit par là que ceux qui soutiennent, à l'exemple de Spinoza, qu'à la mort d'un homme, son âme se résout dans la grande âme du monde, ne disent rien qui ait du sens ; ils font un pur galimatias. »[16]

L'âme, au-delà de la mort, ne se confond pas avec la substance du monde, elle demeure personnelle, douée de mémoire et conserve le sentiment de l'identité du moi. Les amants, après s'être libérés de tout obstacle et de toute imperfection, se retrouveront dans l'autre monde ; délivrés des tourments de l'absence et de la séparation, ils éprouveront cette félicité absolue que la terre ne peut leur dispenser. Les dernières paroles de Julie à Saint-Preux affirment que l'amour découvre sa véritable fin au moment où il revêt le visage lumineux de l'éternité : « Mais mon âme existerait-elle sans toi, sans toi quelle félicité goûterais-je ? Non, je ne te quitte pas, je vais t'attendre. La vertu qui nous sépara sur la terre, nous unira dans le séjour éternel »[17]. La mort libère l'âme de son enveloppe mortelle, la divinise et l'introduit au partage de la condition céleste où les amants connaissent la joie d'une immuable harmonie.

Rousseau ne cherche guère dans *La Nouvelle Héloïse* à prouver l'immortalité de l'âme par une argumentation rationnelle, il l'affirme plutôt comme une certitude de l'imagination et une évidence du sentiment. L'éternité est le prolongement de l'amour électif et absolu, voué ici-bas au sacrifice ; puis elle est le lien spirituel qui fait participer la liberté humaine à l'existence de Dieu. L'immortalité peut être pressentie, mais non vécue sur cette terre, car elle suppose la brisure libératrice de la mort et postule un autre monde réparateur des misères du corps et des injustices de la vie sociale.

« Si nous étions immortels, nous serions des êtres très misérables. Il est dur de mourir, sans doute ; mais il est doux d'espérer qu'on ne vivra pas toujours, et qu'une meilleure vie finira les peines de celle-ci. Si l'on nous offrait l'immortalité sur la terre, qui est-ce qui voudrait accepter ce triste présent ? » [18]

L'âme ne saurait s'attacher aux plaisirs terrestres qui lui inspirent le sentiment du vide ; l'exigence de bonheur qu'elle ressent ne peut en aucune façon être satisfaite ici-bas, elle appelle l'existence d'un ailleurs. « Ne cherchons point de vrais plaisirs sur la terre ; car ils n'y sont pas ; n'y cherchons point ces délices de l'âme dont elle a le désir, et le besoin ; car elles n'y sont pas. Nous n'avons un sourd instinct de la plénitude du bonheur que pour sentir le vide du nôtre », [19] écrit Rousseau dans les fragments *De l'Art de jouir*, notés vraisemblablement en vue du projet de *La Morale sensitive*. L'âme, dont la nature est expansive, n'accède pas à l'état de plénitude dans les limites de l'immanence.

Dans la *Profession de foi du vicaire savoyard*, Rousseau ne se contente plus d'imaginer l'immortalité de l'âme, il entend la justifier par des arguments rationnels et métaphysiques. Il part, selon sa coutume, du « poids de l'assentiment intérieur », mais éprouve le besoin de le corroborer par les déductions de la logique. Après avoir démontré que la matière est mue par une volonté supérieure et qu'une intelligence divine préside à l'ordre de la création, il établit que l'homme, en tant qu'être libre, est « animé d'une substance immatérielle ». Pour fonder sa démonstration, Rousseau recourt au dualisme des substances tel que l'envisage le système de Descartes. La nature humaine est constituée par l'union de deux principes : un principe passif, source de vie instinctive et des passions, le corps mortel, le non-moi, responsable des divisions intérieures, et un principe actif, l'âme immortelle, le moi authentique qui assure la prédominance de l'ordre et maintient l'équilibre de l'être. Le corps qui appartient au terrestre entrave les mouvements spirituels ; puissance négative, il est voué à la dissolution. L'âme qui est en l'homme l'élément céleste s'achemine vers l'affranchissement et s'apprête à conquérir la liberté dans l'au-delà. Durant la vie les deux principes entrent en conflit ou entretiennent des rapports d'hostilité et cette opposition fait la disproportion du moi. C'est pourquoi, philosophiquement, « la mort n'est qu'une séparation de substances », elle délivre l'âme et établit la primauté de la vie spirituelle. Le dualisme des substances offre l'avantage de préserver la nature profonde de l'âme, de garantir sa transcendance et son immortalité.

« Quand l'union du corps et de l'âme est rompue, je conçois que l'un peut se dissoudre, et l'autre se conserver. Pourquoi la destruction de l'un entraînerait-elle la destruction de l'autre ? Au contraire, étant de natures si différentes, ils étaient, par leur union, dans un état violent ; et quand cette union cesse, ils rentrent tous deux dans leur état naturel : la substance active et vivante regagne toute la force qu'elle employait à mouvoir la substance passive et morte. Hélas ! je le sens trop par mes vices, l'homme ne vit qu'à moitié durant sa vie, et la vie de l'âme ne commence qu'à la mort du corps. » [20]

L'homme ne parvient ni à concevoir l'essence de l'âme, ni à se représenter l'idée de l'éternité, parce que l'infini échappe à son entendement ; en revanche il peut sentir en lui la présence de l'âme et imaginer sa nature indestructible. De même que Jean-Jacques déclare au début des *Confessions :* « Je sens mon cœur », le vicaire savoyard affirme : « Je sens mon âme, je la connais par le sentiment et par la pensée, je sais qu'elle est, sans savoir quelle est son essence » [21]. L'homme peut aussi concevoir que l'ordre physique et moral de l'univers, entretenu par l'action de la Providence, par la bonté essentielle et constante de Dieu, détermine la survie de l'âme. La souffrance, les misères, les iniquités auxquelles l'homme intègre est en butte ici-bas suffisent à prouver l'existence d'un autre monde où la justice et l'harmonie l'emporteront, où le jugement de Dieu distinguera les bons des méchants. L'au-delà consacrera l'hégémonie de l'ordre et de la beauté, perceptibles à l'âme délivrée de la prison des sens.

« Si l'âme est immatérielle, elle peut survivre au corps ; et si elle lui survit, la Providence est justifiée. Quand je n'aurais d'autre preuve de l'immatérialité de l'âme que le triomphe du méchant et l'oppression du juste en ce monde, cela seul m'empêcherait d'en douter. Une si choquante dissonance dans l'harmonie universelle me ferait chercher à la résoudre. Je me dirais : Tout ne finit pas pour nous avec la vie, tout rentre dans l'ordre à la mort. » [22]

L'harmonie cosmique et morale, créée par Dieu, implique que l'âme juste soit dédommagée dans l'autre monde des épreuves terrestres qu'elle a subies. Le choix d'un comportement sage et vertueux ne trouve pas sa justification dans le temps, mais dans la perspective de l'éternité. Celui qui a librement opté pour le bien est exposé dans le monde à la souffrance et à l'injustice ; il attend de l'au-delà la réparation et la récompense auxquelles il aspire. « La justice et les scrupules ne font ici-bas que des dupes. Otez la justice éternelle et la prolongation de mon être après cette vie, je ne vois plus dans la vertu qu'une folie à qui l'on donne un beau nom » [23]. La justice souveraine de Dieu suppose le dédommagement de l'âme intègre dans un autre monde et réciproquement la survie de l'âme prouve la bonté providentielle de Dieu. Ces deux vérités qui procèdent d'une intuition de la conscience morale se tiennent si étroitement qu'on ne saurait les dissocier. Rousseau écrit dans la même lettre à l'abbé Carondelet : « De tous les sentiments que nous donne une conscience droite, les deux plus forts et les seuls fondements de tous les autres sont celui de la dispensation d'une providence et celui de l'immortalité de l'âme : quand ces deux-là sont détruits, je ne vois plus ce qui peut rester ». Puisque la bonté est l'attribut fondamental de l'essence divine, la vie terrestre n'est pas une fin, elle se prolonge dans l'autre monde où l'âme pourra contempler Dieu dans l'absolu de sa vérité.

Le vicaire savoyard, comme Julie, pense qu'il est impossible de se représenter la vie éternelle. Mais il est aussi persuadé que l'âme conservera dans l'au-delà la mémoire de ses actes et de ses sentiments. C'est le souvenir qui, par-delà la mort, établira le bonheur du juste et causera le châtiment du coupable. « Je ne saurais me rappeler, après ma mort, ce que j'ai été durant ma vie, que je ne me rappelle aussi ce que j'ai senti, par conséquent ce que j'ai fait ; et je ne doute point que ce souvenir ne fasse un jour la félicité des bons et le tourment des méchants »[24]. L'éternité est, pour Jean-Jacques, le bonheur d'être librement, pleinement soi-même, c'est-à-dire d'*exister selon sa nature.* Alors que la vie terrestre asservit l'être, le divise et entrave son épanouissement, la vie éternelle affermit l'identité spirituelle du moi ; elle lui révèle son unité en le libérant de ses faiblesses et de ses contradictions. « J'aspire au moment où, délivré des entraves du corps, je serai *moi* sans contradiction, sans partage, et n'aurai besoin que de moi pour être heureux »[25]. Ces paroles du vicaire savoyard annoncent la philosophie morale des *Rêveries,* tendue *hic et nunc* vers la conquête de l'unité sereine. Elles prouvent aussi que la religion de Rousseau conserve un certain caractère platonicien. Le vrai christianisme consiste à se détacher des éléments terrestres et corporels pour rechercher la plénitude du moi dans le royaume de l'Esprit. « Le christianisme est une religion toute spirituelle, occupée uniquement des choses du ciel ; la patrie du chrétien n'est pas de ce monde »[26]. La patrie authentique du chrétien, c'est la sphère transcendante de l'Esprit et l'infini de l'éternité. La *Profession de foi du vicaire savoyard* n'enseigne pas les voies du salut, mais promet l'immortalité de l'âme, délivrée des contingences du corps et de la matière. Pour Rousseau, « la religion n'est pas tant... un instrument de salut, qu'une libération des servitudes terrestres et l'initiation à une vie supérieure »[27]. Jean-Jacques attend de Dieu et de la religion chrétienne qu'ils lui ouvrent les portes d'un paradis où l'âme puisse jouir de son identité et de son éternité.

A partir des *Confessions* Rousseau place son œuvre sous le signe du jugement de Dieu, il s'en remet aux desseins charitables de la Providence qui réhabilitera sa mémoire et dévoilera son innocence. Il espère que Dieu lui accordera la justification de son être, de sa vie, que les hommes lui refusent.

Désespérant de la droiture et de l'équité de ses semblables, il décide de supprimer tout intermédiaire entre le Créateur et lui, de se mettre sous la dépendance de la Justice divine. C'est pourquoi Jean-Jacques souhaite se présenter au Jugement dernier avec le livre de ses *Confessions*. C'est au nom du même principe qu'il voulut en février 1776 déposer le manuscrit de ses *Dialogues* sur le grand autel de Notre-Dame pour le confier à la Providence. On attribue volontiers de tels actes au délire de l'orgueil ou même à la folie. Je ne puis me rallier à cette opinion. Ces gestes ont dans leur confiance et leur sincértié quelque chose de profondément émouvant. Ils signifient pour Rousseau, persécuté par la société, — et il le fut plus qu'aucun autre écrivain — qu'il n'existe plus d'autre recours que la justice transcendante de Dieu et que la croyance en l'immortalité constitue le refuge souverain des malheureux, des solitaires et des exilés. L'épreuve de la persécution a détaché Rousseau de la terre et l'a rapproché du ciel. « La persécution m'a élevé l'âme. Je sens que l'amour de la vérité m'est devenu cher par ce qu'il me coûte », écrit-il dans les ébauches des *Confessions* [28]. Je suis porté à croire que le sentiment de la persécution a contribué non seulement à écarter Jean-Jacques du monde, mais à affermir ses croyances et à l'élever spirituellement. Quelques lettres écrites à Bourgoin et à Monquin, au début de 1769, attestent un attachement plus ferme au christianisme. La lettre à Franquières (15 janvier 1769) marque un retour à la religion du sentiment. La foi en Dieu et en l'immortalité n'est pas *nécessaire*, elle ne procède pas d'une injonction de la grâce, mais demeure libre, personnelle, motivée par « le poids de l'assentiment intérieur » ; il s'agit d'un *appel* de la nature, d'une certitude dirigée « contre les sophismes de la raison ». Notre cœur nous révèle l'existence de l'âme et celle de Dieu qui servent de fondements à la vertu, puis de refuges contre la misère du monde. Après s'être référé à *La République* de Platon, Rousseau déclare :

« Quel tableau décourageant, si rien pouvait décourager la vertu ! Socrate lui-même effrayé s'écrie, et croit devoir invoquer les dieux avant de répondre ; mais sans l'espoir d'une autre vie il aurait mal répondu pour celle-ci. Toutefois dût-il finir pour nous à la mort, ce qui ne peut être si Dieu est juste, et par conséquent s'il existe, l'idée seule de cette existence serait encore pour l'homme un encouragement à la vertu, et une consolation dans ses misères, dont manque celui qui, se croyant isolé dans cet univers, ne sent au fond de son cœur aucun confident de ses pensées. » [29]

Mais Rousseau n'en reste pas à ces affirmations conformes à la pensée de *La Nouvelle Héloïse* et de la *Profession de foi du vicaire savoyard,* il attribue désormais au Christ une fonction précise. Jésus s'est incarné pour confirmer l'ordre universel et la finalité voulus par Dieu, pour témoigner, au prix de sa personne, de l'immortalité de l'âme et de la réalité d'un au-delà consolateur.

« Et quoi, mon Dieu ! le juste infortuné en proie à tous les maux de cette vie, sans en excepter même l'opprobre et le déshonneur, n'aurait nul dédommagement à attendre après elle, et mourrait en bête après avoir vécu en Dieu ? Non, non, Moultou ; Jésus, que ce siècle a méconnu, parce qu'il est indigne de le connaître, Jésus qui mourut pour avoir voulu faire un peuple illustre et vertueux de ses vils compatriotes, le sublime Jésus ne mourut point tout entier sur la croix ; et moi qui ne suis qu'un chétif homme plein de faiblesses, mais qui me sens un cœur dont un sentiment coupable n'approcha jamais, c'en est assez pour qu'en sentant approcher la dissolution de mon corps je sente en même temps la certitude de vivre. La nature entière m'en est garante. Elle n'est pas contradictoire avec elle-même : j'y vois régner un ordre physique admirable et qui ne se dément jamais. L'ordre moral y doit correspondre. Il fut pourtant renversé pour moi durant ma vie ; il va donc commencer à ma mort. » [30]

Cette page précise l'attitude religieuse de Rousseau pendant les dernières années de sa vie : le Christ s'est incarné pour apaiser l'inquiétude humaine et justifier la croyance en l'immortalité. L'âme tourmentée de Jean-Jacques vivra désormais dans l'attente impatiente de l'éternité qui deviendra un des thèmes majeurs des *Dialogues* et surtout des *Rêveries.*

Les *Dialogues* et l'*Histoire du précédent écrit,* dominés par la hantise de la persécution, contiennent des appels, à la fois angoissés et confiants, à la Providence divine. Rousseau se persuade que la publication de ses *Confessions* déjouera le complot tramé contre lui et contre sa mémoire, que Dieu lui rendra justice en rétablissant son innocence au regard de la postérité. « Quoi que fassent les hommes, le Ciel à son tour fera son œuvre. J'en ignore le temps, les moyens, l'espèce. Ce que je sais, c'est que l'arbitre suprême est puissant et juste, que mon âme est innocente et que je n'ai pas mérité mon sort. Cela me suffit » [31]. La persécution a avivé chez Rousseau le sentiment de l'immortalité, elle l'a contraint à la résignation et détaché des liens terrestres en lui enseignant que « la vicissitude des choses humaines est une justice constante de l'être suprême » [32]. Adversaire de toute théologie, Rousseau s'achemine vers une religion purement contemplative. Celle-ci n'est pas déterminée par l'appareil trop complexe de la dogmatique, elle est dictée par le tempérament, les tendances personnelles de l'imagination, les aspirations intimes, les instances de la vie individuelle. Le Français s'exprime ainsi dans le *Dialogue troisième :* « Je pense là-dessus, ainsi que Jean-Jacques, que chacun est porté naturellement à croire ce qu'il désire, et que celui qui se sent digne du prix des âmes justes ne peut s'empêcher de l'espérer » [33]. La religion de Rousseau tend de plus en plus à s'identifier avec l'espérance de l'éternité. Au pays des chimères succède le monde enchanté, l'empyrée créé par l'imagination, en attendant que l'âme accède à la condition céleste. C'est une terre idéale qui a conservé l'harmonie et la pureté des origines, qui préfigure le bonheur futur et supraterrestre. L'âme, en rassemblant ses pouvoirs et en se concentrant sur elle-même, pressent la mort libératrice, s'affranchit des infortunes d'ici-bas et imagine son entrée dans l'éternité. « A l'instant que la barrière de l'éternité s'ouvrira devant moi, tout ce qui est en deçà disparaîtra pour jamais, et si je me souviens alors de l'existence du genre humain, il ne sera pour moi dès cet instant même que comme n'existant déjà plus » [34]. L'imagination, faculté consolatrice, apporte à Rousseau un premier dédommagement de ses misères en lui suggérant la vision de l'immortalité.

Cette vision anticipée de l'éternité devient un des thèmes prédominants des *Rêveries*. Au cours de sa vieillesse, Rousseau vit par l'imagination dans l'attente impatiente de la vie future, il apprend à se soustraire au temps et à *sortir de la vie*. Par l'ascèse de la solitude, il se dépouille de ses affections terrestres, se sent de plus en plus étranger au monde, indifférent à l'existence et aux actions de ses contemporains. Ce détachement lui procure l'apaisement, la sérénité si longuement recherchés.

« Tout est fini pour moi sur la terre. On ne peut plus m'y faire ni bien ni mal. Il ne me reste plus rien à espérer ni à craindre en ce monde, et m'y voilà tranquille au fond de l'abîme, pauvre mortel infortuné, mais impassible comme Dieu même.

Tout ce qui m'est extérieur m'est étranger désormais. Je n'ai plus en ce monde ni prochain, ni semblables, ni frères. Je suis sur la terre comme dans une planète étrangère où je serais tombé de celle que j'habitais. » [35]

Constellation solitaire, étrangère à l'univers physique, le moi *se circonscrit* et se concentre. L'âme, « délivrée de ce corps qui l'offusque et l'aveugle », discerne « la vérité sans voile », affine son acuité spirituelle et acquiert une part de son indépendance future. Elle pressent la fin de son asservissement, se dégage des liens du transitoire et du sensible pour accéder à la vision de l'au-delà.

« Dans ce désœuvrement du corps mon âme est encore active, elle produit encore des sentiments, des pensées, et sa vie interne et morale semble encore s'être accrue par la mort de tout intérêt terrestre et temporel. Mon corps n'est plus pour moi qu'un embarras, qu'un obstacle, et je m'en dégage d'avance autant que je puis. » [36]

Cet affranchissement de l'âme qui se sépare du corps et du monde constitue le seul bonheur permanent que l'on puisse conquérir ici-bas. Il permet à l'être d'échapper à l'emprise dévorante du temps et de vivre par l'imagination dans le pressentiment de l'éternité. L'état d'extase, vécu par Jean-Jacques à l'île de Saint-Pierre, est une anticipation des félicités de l'au-delà ;

il présage la liberté parfaite, le bonheur de l'oisiveté contemplative que l'âme éprouvera lorsqu'elle aura réintégré sa condition céleste. « Il ne me restait pour dernière espérance que celle de vivre sans gêne dans un loisir éternel. C'est la vie des bienheureux dans l'autre monde, et j'en faisais désormais mon bonheur suprême dans celui-ci » [37]. Le temps est comme aboli, les frontières entre le passé et l'avenir s'effacent ; Rousseau ne perçoit plus ni les changements, ni les successions, le présent lui devient une image de l'éternité. Immobile comme s'il se confondait avec l'éternité, le temps révèle à l'être le sentiment de l'existence dans sa plénitude et sa pureté. L'oubli, le détachement de « toutes les impressions sensuelles et terrestres », comble le moi et lui confère le pouvoir de se suffire spirituellement. « Tant que cet état dure, on se suffit à soi-même comme Dieu ». Bien qu'elle se fonde sur l'identité du moi, l'extase de Rousseau revêt un caractère mystique : elle franchit les obstacles de la matière et du temps pour s'élever à la contemplation d'un monde immortel et transcendant. « Délivré de toutes les passions terrestres qu'engendre le tumulte de la vie sociale, mon âme s'élancerait fréquemment au-dessus de cette atmosphère, et commercerait d'avance avec les intelligences célestes dont elle espère aller augmenter le nombre dans peu de temps » [38]. La rêverie de Rousseau est de nature mystique en ce sens qu'elle délivre et transfigure le moi, qu'elle incite l'âme à participer ici-bas au miracle de l'éternité.

Cet attachement religieux à l'immortalité, qui correspond chez Rousseau à une exigence personnelle, offre quelque analogie avec le pari de Pascal. Si Pascal parie contre le scepticisme et pour se délivrer de sa propre incertitude, Rousseau parie contre la « désolante doctrine » de son siècle et pour se libérer de son inquiétude ; il parie pour le gain de l'éternité dont la perspective l'aide à endurer les tourments et les vicissitudes de l'existence. « L'attente de l'autre vie adoucit tous les maux de celle-ci et rend les terreurs de la mort presque nulles ; mais dans les choses de ce monde l'espérance est toujours mêlée d'inquiétude et il n'y a de vrai repos que dans la résignation » [39].

La croyance à l'immortalité ne repose pas essentiellement sur les principes de la raison, elle est plutôt déterminée par l'éducation et l'exigence personnelle, dictée par le cœur, marquée du « sceau de l'assentiment intérieur ». Elle est certes une défense contre l'adversité, l'angoisse de la vie et la peur de la mort, mais elle signifie aussi que l'homme ne doit compromettre ni son salut, ni le destin de son âme. Elle lui inculque le détachement du corporel et du terrestre, l'induit à parier pour les bienfaits inappréciables de la vie céleste.

« On se défend difficilement de croire ce qu'on désire avec tant d'ardeur, et qui peut douter que l'intérêt d'admettre ou rejeter les jugements de l'autre vie ne détermine la foi de la plupart des hommes sur leur espérance ou leur crainte... Mais ce que j'avais le plus à redouter au monde dans la disposition où je me sentais était d'exposer le sort éternel de mon âme pour la jouissance des biens de ce monde qui ne m'ont jamais paru d'un grand prix. » [40]

Rousseau vit dans la certitude que le désordre moral du monde est un état transitoire et que « tout à la fin doit rentrer dans l'ordre », c'est-à-dire que Dieu interviendra personnellement pour rétablir la justice, dédommager les âmes de mérite en leur accordant le don de l'éternité. Dieu n'a pas seulement imposé à la création une harmonie et une cohérence, il a voulu que cet ordre établît les fondements de la morale et définît l'essence indestructible de l'âme.

« Non, de vaines argumentations ne détruiront jamais la convenance que j'aperçois entre ma nature immortelle et la constitution de ce monde et l'ordre physique que j'y vois régner. J'y trouve dans l'ordre moral correspondant et dont le système est le résultat de mes recherches les appuis dont j'ai besoin pour supporter les misères de ma vie. Dans tout autre système je vivrais sans ressource et je mourrais sans espoir. » [41]

L'éternité n'est pas uniquement pour Rousseau une compensation, une promesse consolatrice, elle est aussi l'accomplissement authentique de l'existence. « L'immortalité est le complément mystique des idées qu'il se forme sur l'homme et sur sa destinée, elle achève ce qu'il y a d'inachevé dans sa propre vie »[42]. L'éternité est la survie du moi individuel, le prolongement infini du moi spirituel qui retrouve dans l'au-delà sa nature perdue et son identité profonde. Aucune ombre n'obscurcit plus dans l'autre monde la transparence de l'être, l'âme éclot à la lumière d'un éternel matin. Gérard de Nerval a bien vu que cette attention au destin spirituel de l'être constitue l'un des traits originaux du génie de Jean-Jacques, insurgé contre l'athéisme de son siècle : « Rousseau est le seul entre les maîtres de la philosophie du XVIIIe siècle qui se soit préoccupé sérieusement des grands mystères de l'âme humaine »[43].

Jean-Jacques Rousseau n'avait pas seulement le pressentiment de l'immortalité de son âme, il était aussi secrètement convaincu de la durée de son œuvre, soucieux de vaincre le temps et d'écrire pour la postérité. Bien qu'il l'avouât rarement, il écrivait pour satisfaire à une exigence d'éternité. Il composait son œuvre dans le silence en imaginant qu'elle serait immortelle, comme en témoigne une lettre adressée en 1762 à son éditeur Jean Néaulme : « Celui qui veut aller à l'immortalité tâche de faire ce qu'il faut pour cela sans rien dire, et il a raison ; car on n'en croit pas aux auteurs sur leur parole »[44]. Rousseau avait conscience que son œuvre, orientée vers l'avenir, dépassait les frontières du siècle. Il était intimement persuadé, malgré des éclairs de doute, que la postérité réhabiliterait sa mémoire, qu'elle rendrait justice à la sincérité et à l'authenticité de son génie. Il se fiait aux générations futures qui, un jour ou l'autre, restitueraient le prestige de son honneur compromis par la malveillance de ses contemporains. Dans la quatrième lettre à Malesherbes, il écrit déjà : « ... La seule gloire qui jamais ait touché mon cœur, l'honneur que j'attends de la postérité et qu'elle me rendra parce qu'il m'est dû, et que la postérité est toujours juste »[45]. Les *Confessions*, les *Dialogues* et les *Rêveries* sont dictées par l'espérance de l'immortalité, par une certaine confiance en la justice de l'avenir. Si Jean-Jacques n'avait été mû par cet espoir, il aurait renoncé à les écrire. Certes il lui arrive de douter, à l'échelle humaine, de l'utilité de son entreprise, mais il pressent que *le temps est pour lui* et vit dans l'attente d'une réhabilitation future qui ne se produira peut-être qu'après sa mort. « Les réparations qui me sont dues ne me seront faites qu'après ma mort, je le sais, mais elles seront grandes et sincères : j'y compte, et cela me suffit »[46]. A supposer que les hommes se dérobent, Dieu ne se dérobera pas, il déchirera le voile de ténèbres qui masque la vérité. C'est pourquoi, durant les dernières années de sa vie, Rousseau écrit dans une perspective d'Apocalypse, sous le signe du Jugement de Dieu qui assurera le salut de sa mémoire en confondant ses adversaires et en sauvegardant la clarté de sa parole. *Le vivier d'eau claire* se découvrira dans la pleine lumière de midi.

« Ils ont beau vouloir écarter le vivier d'eau claire, il se trouvera quand je ne serai plus en leur pouvoir, et au moment qu'ils y penseront le moins. Aussi qu'ils fassent désormais à leur aise, je les mets au pis. J'attends sans alarmes l'explosion qu'ils comptent faire après ma mort sur ma mémoire, semblables aux vils corbeaux qui s'acharnent sur les cadavres. C'est alors qu'ils croiront n'avoir plus à craindre le trait de lumière qui, de mon vivant, ne cesse de les faire trembler, et c'est alors que l'on connaîtra peut-être le prix de ma patience et de mon silence. »[47]

Rousseau demeurait convaincu que son œuvre finirait par triompher des obstacles du mensonge, de l'intrigue et de l'imposture. Il était habité par la certitude spirituelle qu'elle acquerrait dans la lumière du futur sa véritable transparence et sa parfaite intégrité, ainsi qu'il l'exprime dans sa longue lettre à Saint-Germain :

« Aujourd'hui que j'ai eu le temps de m'apprivoiser avec des idées qui m'étaient si nouvelles, de les peser, de les comparer, de mettre par ma raison les iniques œuvres des hommes à la coupelle du temps et de la vérité, je ne crains pas que le vil alliage lui résiste : le soufre et le plomb s'en iront en fumée, et l'or pur demeurera tôt ou tard, quand mes ennemis, morts ainsi que moi, ne l'altéreront plus. »[48]

Cette image biblique et alchimique de l'or décanté du soufre et du plomb traduit admirablement la foi de Rousseau en la trajectoire infinie de sa parole. Alors que l'homme est voué à la mort, son œuvre, élaborée dans un patient silence, est assurée de survivre au-delà du temps et du devenir. Si l'être poursuit son destin personnel dans le labyrinthe de la mort, l'or pur du verbe humain, étranger désormais à toute altération, poursuit son destin solaire dans l'orbite de l'éternité.

Conclusion

Amiel observe dans son *Journal intime* que l'imagination est, chez Rousseau, la faculté souveraine, « son axe intellectuel » et « le centre de son être ». Cette assertion est pleinement confirmée par l'étude de l'œuvre de Jean-Jacques, gouvernée par l'autorité prestigieuse de l'imagination. L'exigence du rêve intérieur et la vocation de l'imaginaire sont plus fortes en lui que le souci de l'action ou de la vérité pratique. « Rousseau n'a jamais été et n'a jamais voulu être un homme d'action. Sa forme d'action, c'est l'action imaginaire » [1]. Il se distingue par là de la plupart des écrivains romantiques, préoccupés d'incarner leurs rêves, d'accorder le songe avec la réalité, et se rapproche plutôt de Baudelaire. Jean-Jacques a vécu l'antagonisme du rêve et de l'action, de l'imaginaire et du réel sans parvenir à les concilier. Redoutant les obstacles de la réalité et les servitudes de l'action, il s'est créé un univers de liberté dans l'imaginaire, dans la sphère du possible, située au-delà du réel et du rationnel. Son œuvre ne repose pas sur les données de l'observation et ne cherche en aucune manière à exprimer des vérités historiques ; elle n'est nullement déterminée par l'empirisme de son siècle. Malgré la part d'intimité qu'elle contient, elle est *irréaliste*, c'est-à-dire qu'elle s'écarte de l'expérience réelle pour se fier à l'expérience imaginaire. Elle adopte volontiers un tour paradoxal par haine des préjugés, se fonde sur les certitudes du sentiment et les révélations intuitives. L'hypothèse, la conjecture sont un mode de penser familier à Rousseau. Il imagine l'état de nature, l'âge d'or ou les origines du langage en développant des « raisonnements hypothétiques et conditionnels » auxquels il associe des éléments affectifs. Il invente le

« pays des chimères » ou le « monde enchanté », établit une société idéale selon des principes élaborés *a priori* ou s'interroge sur les fondements théoriques d'une éducation qu'il juge parfaite. Il écrit lui-même dans la préface d'*Emile :* « On croira moins lire un traité d'éducation que les rêveries d'un visionnaire sur l'éducation. Qu'y faire ? Ce n'est pas sur les idées d'autrui que j'écris ; c'est sur les miennes. Je ne vois point comme les autres hommes ».

Les *Confessions* ne sont pas seulement le récit et la justification de son existence, mais la projection de ses rêves, de ses espérances, de ses désirs imaginaires. Plus que les événements et les circonstances, elles peignent « l'histoire la plus secrète » de son âme, la trame spirituelle de son destin. Vers la fin de sa vie, Jean-Jacques aime à se représenter la félicité des âmes libérées de leur captivité terrestre ainsi que les purs enchantements de la condition céleste. Il est enclin à écarter la réalité des faits pour lui substituer la réalité de l'imaginaire. C'est par l'imagination qu'il se transporte dans le monde intemporel des origines, qu'il se figure les enfances et les fins de l'humanité ou sa propre destinée au-delà de la mort. Seule l'imagination peut concevoir l'Alpha et l'Oméga, associer les extrêmes, saisir dans sa totalité l'histoire de l'humanité, partagée entre les pôles de la Genèse et du Jugement.

Pourtant l'imagination de Rousseau n'est ni visionnaire, comme celle de Victor Hugo ou de Rimbaud, ni plastique — attentive à reproduire la beauté des formes matérielles — comme celle de Chateaubriand ou de Flaubert ; elle est affective, chimérique, *diffluente.* Elle aspire à s'affranchir des limites du temps et de l'espace ; elle est plus étroitement liée au sentiment qu'à la sensation, aux éléments de la vie intérieure et subjective qu'aux données du monde extérieur. Soit qu'elle s'oriente vers l'approfondissement de l'aventure personnelle, soit qu'elle se disperse dans les méandres de la rêverie, elle demeure attachée au sens profond de l'intériorité. Aussi Jean-Jacques a-t-il vécu, avec une intensité inconnue de ses prédécesseurs, le conflit du réel et de l'imaginaire. Il a senti leur antinomie comme irréductible et cherché le salut dans la certitude que la réalité du monde imaginaire l'emporte infiniment sur la réalité du monde sensible. Cette inquiétude intérieure, cette dualité du réel et de l'imagination qui représente l'une des lignes prédominantes de l'œuvre de Rousseau, ont animé les lettres françaises du romantisme au surréalisme, de Chateaubriand à Henri Michaux. La plupart des écrivains romantiques, les poètes de la génération symboliste et de l'époque contemporaine ont été préoccupés par ce conflit qu'ils ont tenté de résoudre en se réfugiant dans l'imaginaire ou en harmonisant les contraires par la synthèse.

Dans un passage célèbre des *Mémoires d'outre-tombe*, Chateaubriand se peint comme un être double, un *androgyne bizarre* qui participe de la vie intérieure des songes et des soucis pratiques inhérents à l'existence :

« Dans l'existence intérieure et théorique, je suis l'homme de tous les songes ; dans l'existence extérieure et pratique, l'homme des réalités. Aventureux et ordonné, passionné et méthodique, il n'y a jamais eu d'être à la fois plus chimérique et plus positif que moi, de plus ardent et de plus glacé. » [2]

Chateaubriand a toujours éprouvé cette dualité du moi partagé entre les exigences du réel et de l'imaginaire. Dès l'adolescence, il a cédé au goût des chimères et cru à la réalité des songes qui corrigeaient la décevante imperfection de l'univers ; il a inventé des créatures fictives, nées de son désir et destinées à peupler le vide de l'existence. Son imagination, animée par le sentiment de l'infini que lui inspiraient les landes de Bretagne ou les savanes de l'Amérique, aimait à s'élancer dans l'espace, au-delà des limites du monde. « Mon imagination allumée, se propageant sur tous les objets, ne trouvait nulle part assez de nourriture et aurait dévoré la terre et le ciel » [3]. Cette exubérance de l'imagination est à l'origine du *vague des passions* qui procède de la rupture entre l'intensité des désirs et l'indigence du réel, les appels du cœur et les possibilités de la vie. « L'imagination est riche, abondante et merveilleuse ; l'existence pauvre, sèche et désenchantée. On habite avec un cœur plein un monde vide, et sans avoir usé de rien on est désabusé de tout »[4]. Ce douloureux contraste crée un espace intérieur de vide et d'absence où viennent se loger l'inquiétude, la mélancolie, l'amertume et la désillusion. Il incite l'imagination à se nourrir de songes qui remédient aux insuffisances de la vie. René, de même que Jean-Jacques et Saint-Preux, est « un jeune homme entêté de chimères » ; comme il ne peut fixer sa passion sur aucun objet, il part en quête d' « un bien inconnu » ou à la poursuite d'un « fantôme imaginaire » dont il croit découvrir la présence parmi les éléments de la nature. Ce *fantôme imaginaire*, c'est la sylphide, la *femme unique*, distincte de tout être réel, que le tempérament chimérique de Chateaubriand inventa dans les sauvages solitudes de la Bretagne et qui l'accompagna pendant toute son existence. « L'ardeur de mon imagination, ma timidité, la solitude firent qu'au lieu de me jeter au dehors, je me repliai sur moi-même ; faute d'objet réel, j'invoquai par la puissance de mes vagues désirs un fantôme qui ne me quitta plus »[5]. La perfection de ce modèle idéal contribua à le lasser des femmes qu'il aima, car celles-ci ne réussirent jamais à satisfaire ce besoin de plénitude que la sylphide inspirait à son âme exigeante. Dans *Amour et vieillesse* Chateaubriand avoue :

> « Il faut remonter haut pour trouver l'origine de mon supplice, il faut retourner à cette aurore de ma jeunesse où je me créai un fantôme de femme pour l'adorer. Je m'épuisai avec cette créature imaginaire, puis vinrent les amours réelles avec qui je n'atteignis jamais à cette félicité imaginaire dont la pensée était dans mon âme. »[6]

En vieillissant, Chateaubriand se plaît en la compagnie des *filles de son imagination*, il finit par préférer, comme Rousseau, les créatures de ses songes à la société des hommes. Il sent que la fiction pénètre l'existence, qu'elle transforme le réel et se confond avec lui. Il écrit en 1844 à un père jésuite : « J'ai mêlé bien des fictions à des choses réelles et malheureusement les fictions prennent avec le temps un caractère de réalité qui les métamorphose »[7]. L'imaginaire et le réel, nettement dissociés dans l'âme de l'adolescent, tendent plus tard à se mêler, à composer un univers mixte où ils sont presque indiscernables l'un de l'autre. La fiction devient une réalité seconde qui se substitue à la réalité de la vie et des événements. Toutefois la synthèse ne s'accomplit pas au niveau de l'action, mais dans la sphère plus vaste et plus intérieure de l'imaginaire.

Bien que les poètes romantiques aient reconnu, à la suite de Rousseau et de Chateaubriand, la primauté de la sensibilité et de l'imagination sur la raison, ils n'ont pas absolument écarté l'assistance du jugement. L'imagination invente et conçoit, échafaude des hypothèses, établit des prévisions et des suppositions ; mais il s'agit, selon Alfred de Vigny, « de conjecturer les probabilités de ce qui *sera* par l'imagination soumise aux calculs de la raison et aux lois de la volonté » [8]. L'imagination l'emporte sur le jugement, mais elle le contient et ne peut s'en séparer. Il ne saurait en être autrement, puisque sa fonction consiste à vêtir les idées, à les incarner dans une forme concrète et symbolique qui assure la permanence de la pensée. « L'imagination donne du corps aux idées et leur crée des types et des symboles vivants qui sont comme la forme palpable et la preuve d'une théorie abstraite » [9]. L'âme contemplative du poète se définit par sa faculté d'enthousiasme ; elle est possédée par la fièvre que lui communique l'imagination, sans cesse impatiente de prendre son envol vers les espaces célestes.

> « L'imagination emporte ses facultés vers le ciel aussi irrésistiblement que le ballon enlève la nacelle. Au moindre choc, elle part ; au plus petit souffle, elle vole et ne cesse d'errer dans l'espace qui n'a pas de routes humaines. Fuite sublime vers des mondes inconnus, vous devenez l'habitude invincible de son âme ! » [10]

Lamartine et Hugo n'auraient pas songé à contredire cette affirmation, ils l'auraient plutôt complétée en précisant que l'imagination ne nous emporte pas seulement vers l'inconnu et le surnaturel, mais qu'elle nous incite aussi à l'action. Ils étaient plus enclins à concilier le rêve et l'action qu'à les opposer ;

ils considéraient que le poète porte en lui le monde imaginaire et le monde réel, ou plus exactement que l'imaginaire est le miroir intérieur du réel. « L'imagination n'est autre chose que le reflet de la création dans l'âme de l'homme », écrit Victor Hugo dans *Tas de pierres* [11]. L'imagination est à coup sûr *la grande plongeuse*, mais elle plonge aussi aisément dans les abîmes de la matière que dans les gouffres de l'infini. D'ailleurs Victor Hugo ne place pas, comme Baudelaire, l'imagination au sommet de l'ordre hiérarchique des facultés, mais lui attribue un rôle intermédiaire entre l'observation et l'intuition. Le royaume sur lequel elle étend sa domination est la profondeur de la nature. « Le poète a un triple regard, l'observation, l'imagination, l'intuition. L'observation s'applique plus spécialement à l'humanité, l'imagination à la nature, l'intuition au surnaturalisme » [12]. L'imagination ne crée pas *ex nihilo*, elle s'empare de la réalité, l'approfondit, en propose une vision qu'elle agrandit infiniment. Visionnaire du concret, Hugo ne ressent pas, comme Rousseau ou Chateaubriand, l'antinomie du réel et de l'imaginaire ; il invente un univers qui les amalgame et les mêle inextricablement. L'action est pour lui *la sœur du rêve*, le complément et le correctif nécessaires des songes. Le génie poétique s'applique à gouverner les chimères de l'esprit et à discipliner les rêves enfantés par le délire de l'imagination. « Il faut que le songeur soit plus fort que le songe... Un cerveau peut être rongé par une chimère » [13].

Au contraire, Baudelaire a cruellement ressenti la dualité de l'homme écartelé entre le sentiment du spleen et la vocation de l'idéal, les désirs imaginaires et les nécessités de l'action. L'homme est contraint à mener une *double vie*, parce qu'il est « toujours double, action et intention, rêve et réalité ; toujours l'un nuisant à l'autre, l'un usurpant la part de l'autre ». Il éprouve intérieurement « l'incessant mécanisme de la vie terrestre, taquinant et déchirant à chaque minute l'étoffe de la vie idéale » [14]. *Homo duplex*, Baudelaire souffre de cet écart, de cette disproportion entre les rêves de l'intention et la volonté d'accomplissement. Il recule devant la réalité qui lui communique la sensation de la captivité et de l'étouffement, souhaite se soustraire à l'emprise du réel, s'évader *n'importe où hors du monde*, dans un univers supérieur où le rêve soit absolument coupé des exigences de l'action.

Certes, je sortirai, quant à moi, satisfait
D'un monde où l'action n'est pas la sœur du rêve,

s'écrie-t-il dans *Le Reniement de saint-Pierre.* L'imagination, qui est en l'homme la part divine et créatrice, permet de s'arracher au spectacle de la réalité quotidienne ; elle perçoit les *analogies*, les *correspondances* reliant les choses visibles aux choses invisibles, supplée aux insuffisances du réel qu'elle dépasse et contredit. « L'Imagination seule contient la poésie », puissance souveraine et universelle, « elle crée un monde nouveau », distinct de la réalité familière, « elle est positivement apparentée avec l'infini » [15]. C'est elle qui nous procure la sensation de la nouveauté et de l'inconnu, nous incite à chercher une réalité supérieure dans la trame secrète de nos rêves. Baudelaire attribue à l'imagination — et non à l'intuition, comme Victor Hugo — le pouvoir de pénétrer les mystères de l'invisible et de s'élever à la contemplation du surnaturel. Persuadé « que les choses de la terre n'existent que bien peu, et que la vraie réalité n'est que dans les rêves » [16], il a transmis aux poètes de la génération symboliste l'idée que le réel et l'imaginaire sont dissociés au point d'être inconciliables. Mallarmé, « las du triste hôpital » de ce monde, « tourne l'épaule à la vie ». Il creuse largement le fossé qui sépare le rêve de l'action, *exclut* « le réel parce que vil » pour en extraire l'idée et la quintessence. Rimbaud, par la pratique de l'hallucination sensible et verbale, se détache des contraintes de l'univers auquel il croit ne plus appartenir. Il devient « un opéra fabuleux », s'arroge « des pouvoirs surnaturels » par la dilatation extrême de son imagination, jusqu'au jour où il ne lui restera que « la réalité rugueuse à étreindre ».

Le renoncement exprimé dans *Une Saison en Enfer* est à l'origine de l'expérience des poètes surréalistes qui se refusent à couper la pensée consciente ou inconsciente de l'action. En se fiant aux ressources de la dialectique hégélienne, le surréalisme adopte une attitude résolument moniste en face des problèmes de l'existence. Il tient le dualisme ou système des « vieilles antinomies » pour responsable de la plupart des misères et des infortunes dont souffre l'humanité. Aussi André Breton propose-t-il dans le *Premier manifeste du surréalisme* de résoudre les oppositions du rêve et de l'action, de l'imaginaire et du réel à la faveur d'un état supérieur, synthétique qu'il appelle le surréel. « Je crois à la résolution future de ces deux états, en apparence si contradictoires, que sont le rêve et la réalité, en une sorte de réalité absolue, de *surréalité*, si l'on peut ainsi dire » [17]. Dans le *Second manifeste*, il précise sa pensée dialectique en établissant que le surréel est le principe immanent — semblable au point suprême du *Zohar* —, le lieu central où les réalités qui déchirent l'esprit humain se résorbent et se réconcilient. « Tout porte à croire qu'il existe un certain point de l'esprit d'où la vie et la mort, le réel et l'imaginaire, le passé et le futur, le communicable et l'incommunicable, le haut et le bas cessent d'être perçus contradictoirement » [18]. Dans l'optique du surréalisme, l'imaginaire et le réel ne sont plus envisagés comme deux univers distincts, irréductibles ; ils tendent à s'associer pour former un monde unique, absolu dans son harmonie et sa totalité. « L'imaginaire est ce qui tend à devenir réel », proclame André Breton dans l'avant-propos du *Revolver à cheveux blancs*. Il est le réel en ce sens qu'il fait corps avec lui et qu'il acquiert ce caractère de surréalité, propre à toute synthèse.

Paul Eluard, à son tour, insiste sur la nécessité d'opérer un rapprochement entre les choses de la nature et les objets imaginés. La fin de la vie et de l'amour, de l'œuvre d'art et de la poésie, consiste à produire la fusion du monde intérieur avec la réalité extérieure, à exprimer « une vérité totale qui joint l'imagination à la nature ». L'image sert de trait d'union entre la pensée et la matière ; elle est la force énergétique par laquelle les réalités contradictoires s'harmonisent. « Il n'y a pas loin, par les images, de l'homme à ce qu'il voit, de la nature des choses réelles à la nature des choses imaginées » [19]. Le propre de l'imagination est de *créer toujours un autre monde* à partir du réel. Elle se nourrit de la nature qu'elle parfait et enrichit sans se séparer de la présence des objets. René Char détermine en ces termes la fonction de l'imagination :

> « L'imagination consiste à expulser de la réalité plusieurs personnes incomplètes pour, mettant à contribution les puissances magiques et subversives du désir, obtenir leur retour sous la forme d'une présence entièrement satisfaisante. C'est alors l'inextinguible réel incréé. » [20]

L'imagination n'invente pas un univers gratuit, scindé du réel ou de l'action, mais une réalité supérieure et immanente, capable de contenir tous les éléments de la vie physique et psychique. Le surréel est le lieu géométrique où les contradictions s'effacent dans la conquête de l'unité.

Mais cette solution apportée au conflit du réel et de l'imaginaire ne satisfait pas le tempérament de tous les poètes contemporains. Henri Michaux, par exemple, ne saurait l'accepter, lui qui possède « la seule imagination de l'impuissance à se conformer », ainsi qu'il l'avoue dans la postface de *Mes Propriétés*. Son imagination l'exhorte à sortir de la prison du moi et de l'enceinte du monde, à décoller du réel, à se délivrer de l'emprise du temps pour se forger un *ailleurs*, détaché des contraintes de l'ici-bas. Dans *Peintures*, le poète se définit ainsi lui-même :

> *Il est et se voudrait ailleurs, essentiellement ailleurs, autre.*
> *Il l'imagine. Il faut bien qu'il l'imagine.*

L'imagination lui permet de rompre avec la réalité familière et quotidienne en pratiquant des brèches ou en découvrant des issues qui s'ouvrent sur un autre monde. Tantôt elle s'aventure « à travers l'infini moutonnement des possibles », tantôt elle invente des royaumes chimériques qui dédommagent le moi des imperfections douloureuses du réel. « Mes pays imaginaires : Pour moi des sortes d'Etats-tampons, afin de ne pas souffrir de la réalité »[21]. L'imagination exerce une fonction magique : elle délivre l'homme de sa condition de prisonnier au moyen de l'*exorcisme par ruse*, c'est-à-dire qu'elle « se défend par une élaboration imaginative appropriée » qui vise à « tenir en échec les puissances environnantes du monde hostile »[22]. L'imagination demeure pour Michaux un des instruments dont le poète dispose pour s'insurger contre la perfidie du monde. Par son pouvoir d'exorcisme, elle refuse et dépasse le réel auquel elle substitue le pays magique de la fiction.

Si tous les poètes du XIXe et du XXe siècle n'ont pas admis le dualisme du rêve et de l'action tel que Rousseau l'a vécu, tous ont été mis en présence de ce conflit propre à la conscience de l'homme moderne. Ils ont proposé diverses solutions, conformes à leur nature et leur génie, à ce problème fondamental qu'ils n'ont pu éluder : le monde réel et le monde imaginaire sont-ils antinomiques ou bien est-il moyen de les concilier ? En d'autres termes, l'imaginaire est-il transcendant, distinct et séparé du réel, comme le pensent Rousseau, Chateaubriand, Baudelaire, Henri Michaux... ou est-il immanent, capable de se confondre avec le réel, ainsi que le conçoivent Victor Hugo, André Breton et les poètes surréalistes ? On ne saurait imposer à ce problème une solution unique, valable pour l'ensemble de l'humanité. Chacun est en droit de se poser la question pour lui-même et d'y répondre au gré de ses exigences intérieures, de ses croyances métaphysiques et morales. Celui qui croit à la transcendance de l'imaginaire ne peut qu'adhérer à un système dualiste. Insatisfait de l'ici-bas, il aspire au salut dans un autre monde, indépendant des servitudes de l'univers matériel. Le dualisme métaphysique implique le dualisme moral et psychologique ; la volonté de distinguer deux mondes situés à des niveaux différents suppose de dissocier le sujet de l'objet, l'esprit de la matière. La séparation de la pensée et de l'action, de l'imaginaire et du réel, n'est compatible qu'avec le dualisme des substances.

Quant au monisme, il résout les antinomies dans la synthèse et absorbe les contraires en les ramenant à un principe unique. Le monisme dialectique, tel que l'envisagent les surréalistes, se refuse à distinguer le rêve de la réalité, l'univers intérieur de l'univers extérieur ou l'esprit de la chair ; il tend *hic et nunc* à la conquête de l'unité, c'est-à-dire à la possession d'une vérité immanente. Le dualisme aspire aussi à l'unité, mais ne l'atteint qu'au-delà du monde, lorsque le principe matériel s'est effacé devant le principe spirituel. La vérité qu'il cherche est d'ordre transcendant ; elle est révélée dans un autre univers, dans la sphère immuable de l'éternité.

Selon cette perspective, la pensée de Jean-Jacques apparaît foncièrement dualiste. Rousseau ne considère pas seulement que l'homme est un être double qui conçoit « l'idée de deux substances distinctes, savoir, l'esprit et la matière, ce qui pense et ce qui est étendu », mais il admet aussi que « la coexistence des deux principes — le principe actif et spirituel d'une part, le principe passif et matériel de l'autre — semble expliquer mieux la constitution de l'univers »[23]. L'homme social se distingue de l'homme de la nature en ce sens qu'il est soumis à la loi de la dualité. Il est composé d'une âme et d'un corps, il est sujet lorsqu'il se concentre sur lui-même ou cède à l'impulsion de la nature, objet lorsqu'il s'abandonne à la pression de la vie extérieure et sociale. « Ainsi parmi nous chaque homme est un être double ; la nature agit en dedans, l'esprit social se montre en dehors », déclare Rousseau dans le manuscrit Favre de l'*Emile*. La double sollicitation de la nature et de la société contraint l'homme à vivre simultanément sur deux plans : celui du rêve intérieur et celui de l'action. Plus que cela, elle lui impose de distinguer deux mondes irréductibles : le réel, immanent et fini, l'imaginaire, transcendant et infini. Rebuté par l'action, déçu par le réel, Jean-Jacques a cherché la délivrance dans l'imaginaire, retraite dernière, habitée en attendant que se produise la brisure de la mort. Vivre dans la demeure des chimères, c'est en quelque sorte anticiper sur la promesse de l'immortalité. Le monde imaginaire est un miroir de l'éternité, de cette éternité dont le visage se découvre dans le vallon des Charmettes ou dans la forêt de Montmorency, dans le songe des eaux qui cernent l'île de Saint-Pierre et dans le rêve des peupliers d'Ermenonville, agitant leur feuillage solaire au rythme de la solitude.

Un silencieux souvenir
Sur le rivage de fougères
Rejoint les enfances légères,
Navire assuré de franchir

Les sables de l'espoir captif.
Les peupliers fendent la brume
A la pointe où le jour écume
Des songes du ciel fugitif.

Invisible entre le feuillage,
La mort agrandit un visage
Dans la douce aurore des eaux

Et la parole imaginaire
Bâtit sur l'aile des oiseaux
Sa maison de cendre solaire. [24]

1956-1961.

Notes

Argument

[1] *Entretiens*, p. 22.

CHAPITRE PREMIER

L'imagination, ce soleil de l'esprit

[1] *L'Imaginaire*, p. 161.
[2] Le mérite revient à J.-P. Sartre d'avoir clairement établi la différence de nature entre la perception et l'imagination. Consulter *L'Imagination*, Paris, 1936, et surtout *L'Imaginaire*, Paris, 1940.
[3] Gaston Bachelard, *L'Air et les songes*, p. 7.
[4] *Curiosités esthétiques*, Exposition universelle de 1855.
[5] Victor Hugo, *William Shakespeare*, partie II, livre I.
[6] *Le Temps retrouvé*, t. II, p. 15.
[7] J.-P. Sartre, *L'Imaginaire*, p. 237.
[8] *Ibid.*, p. 238.
[9] *Essai sur l'imagination créatrice*, p. 13, Paris, 1900.
[10] *Curiosités esthétiques*, Salon de 1859, III.
[11] *De la sincérité envers soi-même*, p. 57.
[12] *Curiosités esthétiques*, Salon de 1859, III.
[13] *Les manifestes du surréalisme*, p. 15, Paris, 1946.
[14] *L'Imagination*, p. 112, Paris, 1954. Remarquons que Sartre qui dissocie absolument le réel de l'imaginaire se refuse à considérer le possible comme le royaume de l'imagination : « Il n'y a pas, dans un monde imaginaire, rêve de *possibilités* puisque les possibilités supposent un monde réel à partir duquel elles sont pensées comme possibilités ». *L'Imaginaire*, p. 218.
[15] *Emile*, livre II, éd. Garnier, p. 64.

CHAPITRE II

De Cyrano de Bergerac à Diderot

[1] Troisième partie, livre II, chapitre 3.
[2] Cit. par René Bray, *La Formation de la doctrine classique en France*, p. 119, Paris, 1931.
[3] *L'Autre Monde*, éd. Stock, p. 245, Paris, 1947.
[4] *Ibid.*, p. 246-7.
[5] *Ibid.*, p. 319.
[6] Cit. par R. Bray, *La Formation de la doctrine classique en France*, p. 130.
[7] *Les Caractères*, Des Ouvrages de l'esprit.
[8] *Les Amours de Psyché et de Cupidon*, partie I.
[9] *Méditation sixième.*
[10] *Méditation seconde.*
[11] Cit. par Jean H. Roy, *L'Imagination selon Descartes*, p. 14, Paris, 1944.
[12] *Méditation seconde.*
[13] *Méditation sixième.*
[14] Jean H. Roy, *L'Imagination selon Descartes*, p. 55.
[15] *Pensées*, t. I, p. 14, texte établi par Louis Lafuma, éd. du Club du meilleur livre, Paris, 1958.
[16] *Ibid.*, t. I, p. 12.
[17] *Ibid.*, t. I, p. 12.
[18] *Ibid.*, t. II, p. 110.
[19] *Ibid.*, t. II, p. 183.
[20] *De la connaissance de Dieu et de soi-même*, III, 10.
[21] *Ibid.*, I, 4.
[22] *Ibid.*, I, 9.
[23] *Ibid.*, I, 7.
[24] *Ibid.*, III, 9.
[25] *Ibid.*, I, 7.
[26] *Traité de la concupiscence*, chapitre IX.
[27] *De la connaissance de Dieu et de soi-même*, III, 10.
[28] *Cahiers*, p. 258, Paris, 1941.
[29] Cit. par Daniel Mornet, *Le Romantisme en France au XVIIIe siècle*, p. 219-20, Paris, 1912.
[30] *Le Doyen de Killerine*, cit. par Pierre Trahard, *Les Maîtres de la sensibilité française au XVIIIe siècle*, t. I, p. 190, Paris, 1931.
[31] Cit. par H. Roddier, *L'Abbé Prévost, l'homme et l'œuvre*, p. 164, Paris, 1955.
[32] *Œuvres choisies*, éd. établie par Michel Mohrt, Le Club français du livre, Paris, 1957. Réflexions et maximes posthumes, p. 340.
[33] Introduction à la connaissance de l'esprit humain, p. 41.
[34] Aceste ou l'amour ingénu, p. 231.
[35] Réflexions et maximes, p. 309-10.
[36] Conseils à un jeune homme, p. 148.

[37] Réflexions et maximes posthumes, p. 398-9.
[38] Introduction à la connaissance de l'esprit humain, p. 63.
[39] Réflexions et maximes posthumes, p. 329.
[40] Introduction à la connaissance de l'esprit humain, p. 58.
[41] Toutes les citations de La Mettrie sont extraites de *L'Homme machine*, éd. de M. Solovine, Paris, 1921.
[42] *Essai sur l'origine des connaissances humaines*, éd. de R. Lenoir, p. 27-8, Paris, 1924.
[43] *Ibid.*, p. 39.
[44] *Ibid.*, p. 191.
[45] *Ibid.*, note de la p. 51.
[46] *Ibid.*, p. 56.
[47] *Pensées philosophiques*, XXVIII.
[48] *De la poésie dramatique*, *Œuvres complètes*, t. IV, p. 334 et 333.
[49] *Eléments de physiologie*, *O.C.*, t. IX, p. 363.
[50] *Ibid.*, p. 346 et 347-8.
[51] *L'Esthétique sans paradoxe de Diderot*, p. 64, Paris, 1950.
[52] *De la poésie dramatique*, *O.C.*, t. IV, p. 333.
[53] *Eléments de physiologie*, *O.C.*, t. IX, p. 364.
[54] *Jacques le fataliste*, éd. de la Pléiade, p. 556.
[55] *Traité du beau*, éd. de la Pléiade, p. 1141.
[56] *Le Rêve de d'Alembert*, éd. de la Pléiade, p. 962.
[57] *Eléments de physiologie*, *O.C.*, t. IX, p. 365.
[58] *Salon de 1762*, *O.C.*, t. XI, p. 131.
[59] *Pensées détachées sur la peinture, la sculpture, l'architecture et la poésie*, N° 201.
[60] *Salon de 1767*, *O.C.*, t. XI, p. 74-5.
[61] *Essai sur la peinture*, éd. de la Pléiade, p. 1171.
[62] *Ibid.*, p. 1184.
[63] *Salon de 1767*, *O.C.*, t. XI, p. 330.

CHAPITRE III

Ambiguïté de l'imagination

[1] *Deuxième Dialogue*, p. 822. L'édition utilisée pour les *Confessions*, les *Dialogues* et les *Rêveries*, de même que pour les fragments autobiographiques, est celle de la Bibliothèque de la Pléiade, établie par Bernard Gagnebin, Robert Osmont et Marcel Raymond. *Œuvres complètes*, t. I, Paris, 1959. Nous avons toutefois choisi de moderniser l'orthographe.
[2] *Septième Promenade*, p. 1062.
[3] *Les Confessions*, livre XII, p. 644.
[4] *Deuxième Dialogue*, p. 815-6.
[5] *Rousseau par lui-même*, p. 117 et 121, Paris, 1961.
[6] *De l'Inégalité parmi les hommes*, première partie.
[7] *Emile*, livre II, éd. Garnier, p. 63.
[8] *Ibid.*, livre I, p. 44.
[9] *Ibid.*, livre II, p. 95.
[10] *Ibid.*, livre II, p. 103.
[11] *Ibid.*, livre II, p. 64.
[12] *Correspondance générale*, t. I, p. 19.
[13] *Dictionnaire de musique*, article *opéra*.
[14] *Emile*, livre II, p. 142.
[15] Lettre au prince de Wurtemberg. *Correspondance générale*, t. X, p. 210.
[16] *Les Confessions*, livre X, p. 494. « Tout allumait mon incorrigible imagination », écrivait-il à Madame d'Houdetot. *Correspondance générale*, t. III, p. 179.
[17] *Correspondance générale*, t. I, p. 370.
[18] *Emile*, livre II, p. 64.
[19] *Les Confessions*, livre I, p. 43.
[20] Georges Poulet, *Etudes sur le temps humain*, p. 166, Paris, 1950. Jean Starobinski écrit de son côté : « L'imagination, Janus bifrons, regarde en avant et en arrière ». *L'Œil vivant*, p. 123, Paris, 1961.
[21] *La Philosophie de l'existence de J.-J. Rousseau*, p. 172, Paris, 1952.
[22] *O.C.*, t. I, p. 1141.
[23] *Deuxième Dialogue*, p. 822.
[24] *Ibid.*, p. 857.
[25] *Ibid.*, p. 821.
[26] *Emile*, livre IV, p. 323.
[27] *Ibid.*, livre IV, p. 415.
[28] *Ibid.*, livre IV, p. 251.
[29] *Ibid.*, livre II, p. 172. Ces vues de Rousseau sur l'imagination olfactive annoncent la poésie des *Fleurs du mal*.
[30] *Ibid.*, livre IV, p. 256-7.
[31] *La Nouvelle Héloïse*, V, V, éd. de la Pléiade, établie par B. Guyon, p. 590. Nous avons également choisi de moderniser l'orthographe.
[32] *Les Confessions*, livre VII, p. 278.

[33] *Ibid.*, livre IV, p. 174.
[34] *Emile*, livre II, p. 61 et livre IV, p. 344.
[35] *Les Métamorphoses du cercle*, p. 115, Paris, 1961.
[36] *Correspondance générale*, t. III, p. 362.
[37] *Quatrième Promenade*, p. 1035.
[38] *Mon Portrait*, *O.C.*, t. I, p. 1128.
[39] *Les Confessions*, livre VI, p. 226.
[40] *Lecture du premier livre des Confessions*, dans *Lettres d'Occident*, éd. de la Baconnière, p. 171, Neuchâtel, 1958.
[41] *Correspondance générale*, t. I, p. 369.
[42] Préface de *Narcisse* (1753). *O.C.*, t. II, p. 970.
[43] *Correspondance générale*, t. VI, p. 325.
[44] *O.C.*, t. I, p. 1131.
[45] *Correspondance générale*, lettre à Moultou (18 janvier 1762), t. VII, p. 62.
[46] *Emile*, livre II, p. 64.
[47] Georges Poulet, *Les Métamorphoses du cercle*, p. 111.
[48] Deuxième lettre à M. de Malesherbes, *O.C.*, t. I, p. 1134.
[49] *Correspondance générale*, t. X, p. 217.
[50] *Les Confessions*, livre IV, p. 159-60.
[51] *Ibid.*, livre IV, p. 159.
[52] *Les Confessions*, livre V, p. 219, livre VII, p. 348 et livre XI, p. 566. Saint-Preux observe en lui le même phénomène délirant : « Pour moi dont l'imagination va toujours plus loin que le mal »... *La Nouvelle Héloïse*, IV, XVII, p. 516. Eugène Delacroix, de même qu'Odilon Redon et peut-être Cézanne, a ressenti les mêmes tourments que Rousseau ; il note dans son *Journal* (7 avril 1852) : « L'imagination, qui a été donnée à l'homme pour sentir les beautés, lui procure une foule de maux imaginaires ».
[53] *Correspondance générale*, t. XIII, p. 73.
[54] *Les Confessions*, livre XI, p. 585.
[55] *Deuxième Dialogue*, p. 858.
[56] *Premier Dialogue*, p. 746.
[57] *Quatrième Promenade*, p. 1035.
[58] *Les Confessions*, livre XI, p. 566.
[59] *Deuxième Promenade*, p. 1007.
[60] *Correspondance générale*, t. XIX, p. 291.
[61] *Deuxième Promenade*, p. 1009.
[62] *Première Promenade*, p. 997. Dans la *Huitième Promenade* Rousseau écrit au sujet des maux amplifiés par l'imagination : « La prévoyance et l'imagination les multiplient, et c'est par cette continuité de sentiments qu'on s'inquiète et qu'on se rend malheureux ». P. 1080.
[63] *Les Confessions*, livre IX, p. 430-1.
[64] *Deuxième Promenade*, p. 1002.
[65] *Septième Promenade*, p. 1066.
[66] *Ibid.*, p. 1062.

[67] *Ibid.*, p. 1063.
[68] Lettre à Milord Maréchal (8 décembre 1764). *Correspondance générale*, t. XII, p. 123.
[69] *Emile*, livre II, p. 175.
[70] *La Nouvelle Héloïse*, VI, VIII, p. 693.
[71] *Les Confessions*, livre III, p. 101.
[72] *Ibid.*, livre IV, p. 171-2.
[73] Lettres à Malesherbes, *O.C.*, t. I, p. 1140.
[74] *Ibid.*, *O.C.*, t. I, p. 1141.
[75] *Deuxième Dialogue*, p. 815.
[76] *Ibid.*, p. 857.
[77] *Troisième Promenade*, p. 1012.
[78] *Deuxième Dialogue*, p. 816.
[79] Fragment cité par R. Osmont dans les notes des *Dialogues*, *O.C.*, t. I, p. 1678.
[80] *Deuxième Dialogue*, p. 828.
[81] *Septième Promenade*, p. 1061-2. Dans une lettre au marquis de Mirabeau (31 janvier 1767) Rousseau écrit : « La fatigue même de penser me devient chaque jour plus pénible. J'aime à rêver, mais librement, en laissant errer ma tête et sans m'asservir à aucun sujet ». *Correspondance générale*, t. XVI, p. 246.
[82] *Deuxième Dialogue*, p. 845.
[83] *Ibid.*, p. 865.
[84] *Cinquième Promenade*, p. 1047-8.
[85] *Ibid.*, p. 1048.
[86] *Deuxième Dialogue*, p. 814.
[87] *Ibid.*, p. 858.
[88] *Cinquième Promenade*, p. 1049.
[89] *Origine des langues*, chapitre IX.
[90] *Emile*, livre IV, p. 258 et 260.
[91] Lettres morales. *Correspondance générale*, t. III, p. 370.
[92] *Neuvième Promenade*, p. 1094.
[93] *Les Confessions*, livre IX, p. 428.
[94] *La Nouvelle Héloïse*, IV, XI, p. 471.
[95] *Emile*, livre III, p. 187.
[96] *O.C.*, t. I, p. 1173.
[97] *Septième Promenade*, p. 1068.
[98] *Ibid.*, p. 1073.

CHAPITRE IV

L'amour et le pays des chimères

[1] Ces citations sont empruntées à la restitution de l'histoire de *Tristan* par André Mary, éd. Gallimard, Paris, 1941.
[2] Stendhal, *De l'Amour*, chapitre XXIV.
[3] *O.C.*, t. I, p. 1131.
[4] *Ibid.*, p. 1140.
[5] *Les Confessions*, livre IX, p. 427-8.
[6] *Deuxième Dialogue*, p. 858.
[7] *Huitième Promenade*, p. 1081.
[8] *Les Confessions*, livre I, p. 41.
[9] *La Nouvelle Héloïse*, I, IX, p. 51.
[10] *Les Confessions*, livre I, p. 17.
[11] *Les Confessions*, livre III, p. 109.
[12] *Correspondance générale*, t. XIX, p. 243-4.
[13] Citations extraites du livre V des *Confessions*, p. 195-7.
[14] *Les Confessions*, livre V, p. 222.
[15] *Les Confessions*, livre IX, p. 422.
[16] *Les Confessions*, livre IX, p. 424.
[17] *Les Confessions*, livre IX, p. 444.
[18] *Correspondance générale*, t. III, p. 93. Si Rousseau n'adressa pas cette lettre à Sophie, il lui écrivit en revanche quelque peu auparavant : « Je ne puis corrompre celle que j'idolâtre. » *Ibid.*, t. III, p. 81.
[19] Henri Guillemin, *Un Homme, deux ombres*, p. 283, Genève, 1943.
[20] *Les Confessions*, livre XI, p. 548.
[21] *La Nouvelle Héloïse*, VI, VIII, p. 697.
[22] *Ibid.*, II, XVI, p. 241.
[23] *Ibid.*, I, XX, p. 71.
[24] *Ibid.*, V, V, p. 590.
[25] *Ibid.*, II, XVI, p. 240.
[26] *Ibid.*, III, XVIII, p. 363.
[27] *De l'Amour*, chapitres VI et X.
[28] *La Nouvelle Héloïse*, III, XVIII, p. 358.
[29] *Ibid.*, III, XVIII, p. 340.
[30] *Ibid.*, I, XLIV, p. 124.
[31] *Ibid.* Note de la p. 223. Ce « platonisme du cœur » a été étudié par Pierre Burgelin, *La Philosophie de l'existence de J.-J. Rousseau*, p. 397-401, et par Jean-Louis Bellenot, *Les Formes de l'amour dans La Nouvelle Héloïse*, dans les Annales J.-J. Rousseau, T. XXXIII, p. 149-207.
[32] Lettres morales. *Correspondance générale*, t. III, p. 360.
[33] *La Nouvelle Héloïse*, II, XI, p. 223.
[34] Lettre à M. de La Chapelle (23 septembre 1764). *Correspondance générale*, t. XI, p. 304-5.
[35] *La Nouvelle Héloïse*, II, XI, p. 225.

[36] *Ibid.*, note de la p. 341.

[37] *Ibid.*, I, XLVI, p. 129.

[38] *De l'Amour*, chapitre II. La *Vie de Henry Brulard* et le *Journal* attestent que Stendhal fut de 17 à 22 ans passionné par *La Nouvelle Héloïse* qui lui inspirait de « délicieuses rêveries ». En 1805, tout en éprouvant encore une sincère admiration pour ce roman, il reproche à Rousseau d'être limité dans son entreprise par le goût de la vertu et une certaine absence de lucidité. « Rousseau a peint l'amour aussi fort que possible dans des âmes très *vertueuses ;* resterait l'amour à peindre entre deux âmes aussi *éclairées* que possible. » « Dans tout ce roman, l'amour de la vertu trop visible empêche l'amour d'être éperdu (je parle en poète ou peintre de passions) ». *Œuvres intimes*, éd. de la Pléiade, p. 597 et 599-600. Dans *De l'Amour*, Stendhal s'avoue agacé par les excès de la sensibilité et de la rhétorique auxquels s'abandonne Jean-Jacques et il juge Saint-Preux un *plat personnage.* Toutefois *La Nouvelle Héloïse* demeure, avec les *Lettres de la religieuse portugaise*, *Manon Lescaut* et les *Lettres* de Julie de Lespinasse, parmi les œuvres les plus valables consacrées en France à l'amour et Julie d'Etranges est, aux yeux de Stendhal, une des incarnations les plus authentiques de l'amour-passion. Aussi ne me paraît-il pas invraisemblable d'admettre que la lecture et la méditation de *La Nouvelle Héloïse* aient contribué à l'élaboration de la théorie stendhalienne de la cristallisation.

[39] *La Nouvelle Héloïse*, III, XX, p. 373.

[40] *Emile*, livre V, p. 570.

[41] *La Nouvelle Héloïse*, VI, VIII, p. 693.

[42] *Ibid.*, II, XV, p. 236-7.

[43] *Ibid.*, IV, XVII, p. 516.

[44] *Ibid.*, IV, XIV, p. 509 et 511.

[45] *Ibid.*, VI, VII, p. 678.

[46] *Ibid.*, VI, VII, p. 675.

[47] *Ibid.*, VI, VIII, p. 693.

[48] *Emile*, livre IV, p. 409.

[49] *Emile*, livre V, p. 494 et 495.

[50] *Emile*, livre V, p. 541.

[51] *Correspondance générale*, t. XIX, p. 279.

[52] *Pygmalion*, scène lyrique, figure dans le t. II des *O.C.*, p. 1224-31.

[53] Cette interprétation est proposée par Jean Starobinski dans *Jean-Jacques Rousseau, la transparence et l'obstacle :* « Pygmalion ne consent pas à se séparer de ce qu'il a créé. Il n'accepte pas que l'œuvre d'art soit *autre* que lui-même, qu'elle lui reste étrangère... L'œuvre n'aura pas d'objectivité indépendante. La créature de l'artiste sera une subjectivité imaginaire destinée à *répondre* à la subjectivité du créateur. L'artiste donne forme à une âme, dont il refuse de se détacher ; le poète veut être épousé par sa poésie ». P. 86, Paris, 1958.

[54] *La Philosophie de l'existence de J.-J. Rousseau*, p. 175.

[55] *De l'Amour*, chapitre XXXIV.

CHAPITRE V

Langage et imagination

[1] *Discours de la méthode*, V.
[2] Brice Parain, *Recherches sur la nature et les fonctions du langage*, p. 87, Paris, 1942.
[3] *Discours de la méthode*, V.
[4] *Essai sur l'origine des connaissances humaines*, éd. établie par R. Lenoir p. 114, Paris, 1924.
[5] *Ibid.*, p. 149.
[6] *Ibid.*, p. 150 et 164.
[7] *Ibid.*, p. 191.
[8] *Lettre sur les aveugles*, *Œuvres complètes*, t. I, p. 294.
[9] Dans la *Lettre sur les aveugles* Diderot précise que l'écrivain doué d'imagination est contraint de se créer un langage qui se distingue de la langue commune par l'invention de tours originaux : « Toute langue en général étant pauvre de mots propres pour les écrivains qui ont l'imagination vive, ils sont dans le même cas que des étrangers qui ont beaucoup d'esprit ; les situations qu'ils inventent, les nuances délicates qu'ils aperçoivent dans les caractères, la naïveté des peintures qu'ils ont à faire, les écartent à tout moment des façons de parler ordinaires». T. 1, p. 301-2.
[10] *Lettre sur les sourds et muets*, *O.C.*, t. I, p. 385.
[11] *Origine de l'inégalité*, première partie.
[12] *Ibid.*
[13] *Ibid.*
[14] *Ibid.*
[15] *Emile*, livre I, p. 45.
[16] *Origine des langues*, chapitre IX.
[17] Au début du chapitre IV de l'*Origine des langues* Rousseau se réfère au père Lamy selon lequel les hommes auraient été incapables d'inventer les sons articulés, « si Dieu ne leur eût expressément appris à parler ». Bien qu'il se borne à rapporter cette opinion, il paraît y souscrire.
[18] *La Nouvelle Héloïse*, II, XXIII, p. 287.
[19] Intitulé primitivement *Essai sur le principe de la mélodie*, il fut vraisemblablement composé en même temps que l'*Origine de l'inégalité*, puis remanié, mais ne parut qu'en 1781.
[20] *Origine des langues*, chapitre I.
[21] *Ibid.*, chapitre II.
[22] *Ibid.*, chapitre IX.
[23] *Ibid.*, chapitre V.
[24] *Ibid.*, chapitres III et IV.
[25] *Ibid.*, chapitre XV.
[26] *Ibid.*, chapitre XIX.
[27] *Emile*, livre II, p. 103.
[28] *Ibid.*, livre IV, p. 398.

[29] *Ibid.*, livre IV, p. 400. Dans l'*Essai sur l'origine des langues*, chapitre I, Rousseau avait écrit presque textuellement la même phrase : « L'objet offert avant de parler ébranle l'imagination, excite la curiosité, tient l'esprit en suspens et dans l'attente de ce qu'on va dire ».

[30] Jean Starobinski, *Jean-Jacques Rousseau, la transparence et l'obstacle*, p. 182.

[31] Sauf dans la pratique de l'écriture automatique qui tend à se soustraire au contrôle de la raison.

[32] *Les Confessions*, livre I, p. 8.

[33] Pour écrire ses *Confessions*, Rousseau souhaite créer une langue originale, « inventer un langage aussi nouveau que mon projet », le langage des signes naturels qui restituerait exactement la qualité de l'objet et du sentiment. Ce dessein a été commenté par Marcel Raymond dans son introduction aux *Confessions*, éd. de la Pléiade, p. XXXVIII-XLI, et par Jean Starobinski dans *Jean-Jacques Rousseau, la transparence et l'obstacle*, p. 235-49.

[34] *La Nouvelle Héloïse*, II, XVI, p. 241.

[35] Lettre à Séguier de Saint-Brisson (9 novembre 1763). *Correspondance générale*, t. X, p. 219.

[36] *Origine des langues*, chapitre XVI. Ce passage est repris dans deux articles du *Dictionnaire de musique*, textuellement dans l'article *imitation* et avec quelques modifications dans l'article *opéra*.

[37] *Entretiens*, p. 79.

[38] *Dictionnaire de musique*, article *imitation*.

[39] *Premier Dialogue*, p. 672.

[40] *Deuxième Dialogue*, p. 862-3.

[41] *Origine de l'inégalité*.

[42] *Entretiens avec C. Lévi-Strauss* par G. Charbonnier, p. 66 et 161, Paris, 1961.

[43] André Rolland de Renéville, *L'Expérience poétique*, éd. de la Baconnière, p. 136, Neuchâtel, 1948.

[44] *Le Langage*, p. 16-7. Paris, 1921.

CHAPITRE VI

L'âge d'or est insulaire

[1] *Dictionnaire philosophique*, article *Genèse*.
[2] *Dialogue troisième*, p. 971.
[3] *Emile*, livre II, p. 86 et 65.
[4] *Mythes, rêves et mystères*, p. 300, Paris, 1957.
[5] *Dernière réponse à M. Bordes*.
[6] *Les Confessions*, livre I, p. 20-1.
[7] *Ibid.*, livre VI, p. 233.
[8] *Ibid.*, livre VII, p. 314.
[9] *O.C.*, t. I, p. 1124. Ce fragment de *Mon Portrait* semble une réponse à la phrase de Diderot, insérée dans *Le Fils naturel*, et qui avait si fortement heurté Jean-Jacques : « Il n'y a que le méchant qui soit seul ».
[10] *Les Confessions*, livre X, p. 521.
[11] *Jean-Jacques Rousseau, la transparence et l'obstacle*, p. 291.
[12] *Deuxième Dialogue*, p. 828-9. Dans les autres récits qu'il fit de l'illumination de Vincennes, soit dans la première lettre à M. de Malesherbes, soit au livre VIII des *Confessions*, Rousseau ne parle pas de la vision d' « un véritable âge d'or ». Toutefois la phrase des *Confessions* : « A l'instant de cette lecture je vis un autre univers et je devins un autre homme » annonce la perspective des *Dialogues*.
[13] *La Nouvelle Héloïse*, I, IX, p. 51.
[14] *Ibid.*, V, VII, p. 603.
[15] *Deuxième Dialogue*, p. 800.
[16] *Emile*, livre V, p. 533. Le précepteur qui se fait l'interprète des rêves de Jean-Jacques précise dans ce même livre cinquième : « J'ai souvent pensé que si l'on pouvait prolonger le bonheur de l'amour dans le mariage, on aurait le paradis sur la terre. Cela ne s'est jamais vu jusqu'ici ».
[17] *Deuxième Dialogue*, p. 819-20.
[18] Livre V, p. 513.
[19] Livre IV, p. 163.
[20] *Correspondance générale*, t. V, p. 304-5 et t. XIX, p. 15.
[21] *O.C.*, t. I, p. 1140.
[22] *Premier Dialogue*, p. 669.
[23] *Septième Promenade*, p. 1064.
[24] *Huitième Promenade*, p. 1083.
[25] *Les Confessions*, livre IV, p. 163.
[26] *Origine de l'inégalité*, seconde partie.
[27] *Origine des langues*, chapitre IX.
[28] *Origine de l'inégalité*, seconde partie, et *Origine des langues*, chapitre IX.
[29] *Origine des langues*, chapitre IX.
[30] *Origine de l'inégalité*, seconde partie.
[31] *Origine des langues*, chapitre IX.
[32] *Origine de l'inégalité*, seconde partie.

[33] *Dialogue troisième*, p. 935. Dans le manuscrit Favre de l'*Emile* Rousseau avait écrit : « L'homme de la nature a disparu pour ne jamais revenir » et dans une lettre à Henriette (7 mai 1764) : « L'on ne revient pas plus à la simplicité qu'à l'enfance ». *Correspondance générale*, t. XI, p. 56.

[34] E. Vaughan, *The Political Writings of Rousseau*, t. I, p. 448-9, Cambridge, 1915.

[35] *Mythes, rêves et mystères*, p. 132.

[36] M. Eliade, *Ibid.*, p. 31.

[37] Introduction à l'édition critique des *Rêveries*, p. XXIV, Genève, 1948. Dans son essai sur Rousseau, Amiel écrit encore : « Quel est, en effet, le symbole le plus naturel du génie de Rousseau ? Une île volcanique, émergeant de l'immensité bleue, avec son panache de fumée, une ceinture d'écume, un manteau de verdure et une couronne de fleurs ».

[38] *La Nouvelle Héloïse*, IV, III, p. 413.

[39] *Les Confessions*, livre XII, p. 638.

[40] *Septième Promenade*, p. 1071.

[41] *Troisième Promenade*, p. 1013.

[42] *Deuxième Dialogue*, p. 812.

[43] *Emile*, livre III, p. 211.

[44] *Correspondance générale*, t. XX, p. 6-7.

[45] *Deuxième Dialogue*, p. 814.

[46] *Cinquième Promenade*, p. 1041.

[47] *Les Confessions*, livre XII, p. 645.

[48] *Cinquième Promenade*, p. 1047.

[49] *La Nouvelle Héloïse*, IV, XI, p. 479.

[50] *O.C.*, t. I, p. 1139-40.

[51] *Emile*, livre III, p. 187.

[52] Rousseau a mis lui-même en musique les paroles de cette idylle qui figure dans le recueil de chansons, *Les Consolations des misères de ma vie* (1781). *O.C.*, t. II, p. 1169-70.

[53] *Emile*, livre V, p. 606.

[54] Acte II, scène I, trad. Henri Thomas, éd. de la Pléiade, p. 581 et 582. Rousseau aurait aussi souscrit à cette affirmation de Schiller : « Tout individu même a son paradis, son âge d'or qu'il se rappelle avec plus ou moins d'enthousiasme selon que sa nature est plus ou moins poétique ». *Poésie naïve et poésie sentimentale*, trad. R. Leroux, éd. Aubier, p. 201.

[55] *L'Adolescent*, trad. P. Pascal, p. 434. Le songe de Versilov qui imagine « le paradis terrestre de l'humanité » est inspiré par un tableau de Claude Lorrain, *Acis et Galatée*. Dostoïevsky avait déjà prêté la même vision à Stavroguine dans sa confession.

[56] Le *Discours sur l'origine de l'inégalité* et l'*Essai sur l'origine des langues* l'attestent, de même que *Le Lévite d'Ephraïm*, composé d'après le *Livre des Juges*. Cette épopée biblique et bucolique évoque, dans le chant I, l'innocence et la simplicité des mœurs comme l'apanage des tribus primitives.

[57] *Histoire et utopie*, p. 192, Paris, 1960

CHAPITRE VII

Le sentiment de l'immortalité

[1] *Pensées*, éd. du Club du meilleur livre, t. II, p. 20.
[2] *Cahiers*, p. 175.
[3] *Correspondance générale*, t. III, p. 287.
[4] *Ibid.*, t. IV, p. 82.
[5] *Ibid.*, t. II, p. 318. Un an plus tard il écrira à la comtesse Sophie d'Houdetot : « Mais il faut se taire et se laisser mépriser. Providence, Providence ! et l'âme ne serait pas immortelle ». *Ibid.*, t. III, p. 173.
[6] *Ibid.*, t. II, p. 324.
[7] *Dialogue troisième*, p. 971.
[8] Lettre à Deleyre (5 octobre 1758). *Correspondance générale*, t. IV, p. 64.
[9] Lettre à Dom Deschamps (8 mai 1761). *Ibid.*, t. VI, p. 126.
[10] *La Nouvelle Héloïse*, III, XVI, p. 336.
[11] *Ibid.*, II, I, p. 190.
[12] *Ibid.*, II, XI, p. 223.
[13] *Le Banquet*, trad. M. Meunier, éd. Payot, p. 121, 162 et 165.
[14] *La Nouvelle Héloïse*, VI, VIII, p. 693.
[15] *Ibid.*, VI, XI, p. 727-8.
[16] Note retranchée de *La Nouvelle Héloïse*, cit. par Pierre Maurice Masson, *La Religion de J.-J. Rousseau*, t. II, p. 234, Paris, 1916.
[17] *La Nouvelle Héloïse*, VI, XII, p. 743.
[18] *Emile*, livre II, p. 65.
[19] *O.C.*, t. I, p. 1174.
[20] *Emile*, livre IV, p. 343-4.
[21] *Ibid.*, livre IV, p. 344.
[22] *Ibid.*, livre IV, p. 343.
[23] Lettre à l'abbé Carondelet (4 mars 1764). *Correspondance générale*, t. X, p. 341.
[24] *Emile*, livre IV, p. 344. Au livre V de l'*Emile*, Rousseau s'exprime ainsi : « La mort est la fin de la vie du méchant, et le commencement de celle du juste ». P. 569.
[25] *Ibid.*, livre IV, p. 358.
[26] *Du Contrat social*, livre IV, chapitre VIII.
[27] Pierre Maurice Masson, *La Religion de J.-J. Rousseau*, t. II, p. 118.
[28] *O.C.*, t. I, p. 1164. Dans sa *Théorie de la démarche*, Balzac propose cet aphorisme qui s'applique admirablement à Rousseau : « Au moral comme au physique, la persécution grandit un homme de génie ».
[29] *Correspondance générale*, t. XIX, p. 60.
[30] Lettre à Moultou (14 février 1769). *Ibid.*, t. XIX, p. 88-9. Dans la même lettre Rousseau écrit encore : « Accablé des maux de la vie et de l'injustice des hommes, j'approche avec joie d'un séjour où tout cela ne pénètre point ».
[31] *Histoire du précédent écrit*, *O.C.*, t. I, p. 989.

[32] Fragment d'une lettre, *Correspondance générale*, t. XX, p. 345.
[33] *O.C.*, t. I, p. 968.
[34] *Histoire du précédent écrit*, *O.C.*, t. I, p. 986.
[35] *Première Promenade*, p. 999.
[36] *Ibid.*, p. 1000.
[37] *Les Confessions*, livre XII, p. 640.
[38] *Cinquième Promenade*, p. 1047 et 1048-9.
[39] Ebauches des *Rêveries*, *O.C.*, t. I, p. 1169.
[40] *Troisième Promenade*, p. 1017.
[41] *Ibid.*, 1018-9.
[42] B. Groethuysen, *J.-J. Rousseau*, p. 252, Paris, 1949. F. Alquié, dans *Le désir d'éternité*, écrit ces mots qui s'appliquent très exactement à la pensée religieuse de Rousseau : « L'assertion de l'éternité de Dieu et celle de l'immortalité de l'âme sont inséparables, dans la mesure où la disparition du moi individuel apparaît elle-même comme une injustice ». P. 115, Paris, 1960.
[43] *Les Illuminés*, Quintus Aucler.
[44] *Correspondance générale*, t. VIII, p. 243.
[45] *O.C.*, t. I, p. 1145.
[46] *Correspondance générale*, t. XVIII, p. 149. Dans les ébauches des *Rêveries* Rousseau exprime ses doutes en ces termes : « Tout me montre et me persuade que la providence ne se mêle en aucune façon des opinions humaines ni de tout ce qui tient à la réputation, et qu'elle livre entièrement à la fortune et aux hommes tout ce qui reste ici-bas de l'homme après sa mort ». *O.C.*, t. I, p. 1171-2.
[47] Lettre à Laliaud (4 février 1769). *Ibid.*, t. XIX, p. 82-3.
[48] Lettre du 26 février 1770. *Ibid.*, t. XIX, p. 257-8.

Conclusion

[1] B. Groethuysen, *J.-J. Rousseau*, p. 139.
[2] Ed. de la Pléiade, t. I, p. 380.
[3] *Mémoires d'outre-tombe*, t. I, p. 85.
[4] *Génie du christianisme*, deuxième partie, livre III, chapitre IX.
[5] *Mémoires d'outre-tombe*, t. I, p. 92. « Or, ne m'étant attaché à aucune femme, ma sylphide obsédait encore mon imagination », dit-il plus loin. *Ibid.*, t. I, p. 188. La « fille enchantée » de Chateaubriand fait invinciblement penser aux sylphides pour lesquelles Jean-Jacques brûla d'un amour imaginaire au moment où il composait *La Nouvelle Héloïse.*
[6] *Ibid.*, t. II, p. 1138.
[7] Cit. par Maurice Levaillant, *Chateaubriand prince des songes*, p. 236, Paris, 1960.
[8] *Le Journal d'un poète* dans *Œuvres complètes*, éd. de la Pléiade, t. II, p. 1036. En 1861 Vigny écrit encore : « L'imagination, née de la logique du Jugement, fait les plus durables œuvres ». *Ibid.*, p. 1359.
[9] *Ibid.*, p. 880.
[10] *Chatterton*, Dernière nuit de travail.
[11] *Océan*, éd. Albin Michel, p. 287.
[12] *Post-scriptum de ma vie*, éd. A. Michel, p. 611.
[13] *Promontorium somnii* dans le Reliquat de *William Shakespeare*, éd. A. Michel, p. 310.
[14] *L'Art romantique*, *La Double vie* par Charles Asselineau.
[15] *L'Art romantique*, Théophile Gauthier, III et *Curiosités esthétiques*, Salon de 1859, III.
[16] *Les Paradis artificiels*, dédicace.
[17] *Les manifestes du surréalisme*, p. 28, Paris, 1946.
[18] *Ibid.*, p. 92.
[19] *Les Sentiers et les routes de la poésie*, p. 152.
[20] *Fureur et mystère*, Partage formel, p. 77.
[21] *Passages*, p. 25 et 161.
[22] *Epreuves, exorcismes*, préface, p. 8 et 9.
[23] *Lettre à M. de Beaumont.*
[24] *Ermenonville* dans *Mémoire de l'Atlantide.*

Bibliographie

A part les *Œuvres complètes* de Jean-Jacques Rousseau (Baudouin, 25 vol., Paris, 1827-1830) et les textes inédits publiés dans les Annales J.-J. Rousseau, les éditions suivantes ont été consultées :

*Œuvres complètes**, t. I, (*Confessions*, *Dialogues*, *Rêveries*, fragments autobiographiques) publiées et commentées par Bernard Gagnebin, Robert Osmont et Marcel Raymond dans la Bibliothèque de la Pléiade, Paris, 1959.

Œuvres complètes *, t. II, (*La Nouvelle Héloïse*, théâtre, poésies, essais littéraires) publiées et commentées par Bernard Guyon, Jacques Scherer et Charly Guyot dans la Bibliothèque de la Pléiade, Paris, 1961.

Œuvres et correspondance inédites de J.-J. Rousseau, publiées par G. Streckeisen-Moultou, Paris, 1861.

The Political Writings of Rousseau, édités par E. Vaughan, 2 vol., Cambridge, 1915.

Correspondance générale de J.-J. Rousseau *, éditée par Th. Dufour et P.-P. Plan, 20 vol., Paris, 1924-1934.

De l'Origine de l'inégalité parmi les hommes, édition de J.-L. Lecercle, Paris, 1954.

Lettre à M. d'Alembert sur les spectacles, édition critique par M. Fuchs, Genève, 1948.

La Nouvelle Héloïse, édition de R. Pomeau, Paris, 1960.

Du Contrat social, édition de J.-L. Lecercle, Paris, 1955.

Emile *, édition de F. et P. Richard, Paris, 1957.

Les Confessions, édition de L. Martin-Chauffier, Paris, 1933.

Les Rêveries du promeneur solitaire, édition critique par M. Raymond, Genève, 1948.

Les Rêveries du promeneur solitaire, édition établie par H. Roddier, Paris, 1960.

Le chapitre V, *Langage et imagination,* a paru dans le rapport annuel 1958 du Gymnase cantonal de Neuchâtel *(Entretiens sur le problème du langage)* sous le titre *De l'origine et de la nature du langage selon J.-J. Rousseau.* Il a subi certaines modifications avant d'être inséré dans cette étude.

Les astérisques désignent les éditions auxquelles les citations se réfèrent.

Table des matières

IMPRIMÉ EN SUISSE

ACHEVÉ D'IMPRIMER
SUR LES PRESSES DE L'IMPRIMERIE CENTRALE
A NEUCHATEL
POUR LES ÉDITIONS DE LA BACONNIÈRE
LE 25 MAI 1962